A mis padres.

MINISTERIO DE ASUNTOS EXTERIORES

SECRETARIA DE ESTADO PARA LA COOPERACION INTERNACIONAL Y PARA IBEROAMERICA

DIRECCION GENERAL DE RELACIONES CULTURALES

MADRID

«Cartas y Coplas para requerir nuevos amores». Pliego n.º 2 del Catálogo.

LOS «PLIEGOS DE CORDEL» EN LAS BIBLIOTECAS DE PARIS

Carolina Lecocq Pérez

Prólogo

Esta obra de Carolina Lecocq da bastante más de lo que promete. El título «Los ''pliegos de cordel'' en las bibliotecas de París», hace referencia a 237 pliegos catalogados escrupulosamente, de los siglos XVI, XVII y XVIII.

Pero a este catálogo preceden tres capítulos introductorios, muy densos, sobre «La influencia del impreso en la formación de las mentalidades», «El pliego y la evolución de su contenido» y «Nuevas tendencias en el estudio de los pliegos de cordel». Cabe afirmar que Carolina Lecocq conoce bien semejantes tendencias y que en el caso, el papel de prologuista, lo hubiera desempeñado mejor que yo, alguno de los que las representan. En todo caso cabe distinguir también entre pliego y pliego y literatura y literatura de cordel, entre lo que puede ser aplicable al siglo XVI y lo que cabría observar en el XIX o a comienzos de éste. Cuestión de experiencias.

Cuando yo era niño, allá por los años de 1924, todavía había en Madrid imprentas populares, dedicadas a la publicación de pliegos. También puestos donde se vendían y ciegos vendedores ambulantes por las calles. Es claro que éstos tenían sus antecesores en siglos pasados, como lo atestiguan muchos documentos y testimonios literarios. En el acto tercero de «El catalán Serrallonga y bandos de Barcelona», de Don Antonio Coello, Don Agustín de Rojas

Zorrilla y Don Luis Vélez de Guevara (que es de éste), aparece en la cárcel un ciego de estos que le pide a cierto estu-
diante que también está allí, que le escriba unas coplas sobre el famoso bandolero. Es claro el destino de las mismas. Pero es claro también que en los siglos XVI y XVII
se imprimieron pliegos, con una función y destino diferentes. Sobre ello insiste Carolina Lecocq.

Una cosa es, pues, el espíritu y otra la letra y me temo
que algunos hayan confundido el uno con la otra, bien por
superficialidad, bien por el deseo de originalidad. Para el
caso es lo mismo. Una clasificación por temas y materias
es a este respecto complementaria. También el estudio de
la vigencia y permanencia de los temas. Porque el pliego
con la relación de un acontecimiento sonado en determi-
nada época, que luego no vuelve a imprimirse, puede ser
considerado como algo equivalente a una noticia de pe-
riódico, pero el que se imprime y reimprime una y otra
vez del siglo XVI o del XVIII, al XX, entra en otro orden.

La cuestión de la duración de los temas es algo que no
está aclarado todavía y no parece que esté en vías de acla-
rarse. ¿Por qué se selecciona un libro de caballerías y no
otro, este romance y no aquél, una comedia considerada
de segunda fila por la crítica y no otra de primera? ¿Qué
especie de atracción ejercen temas como el del testamento
de Don Juan de Austria para que el pliego se reimprima
doscientos años después?

En la obra de Carolina Lecocq encontrará el lector curioso muchos elementos para pensar por su cuenta. A veces no estará de acuerdo con lo que afirman alguno de los
autores citados: esto es imaginable. Pensará, también, en
dirección distinta. Esta literatura que ha producido poco
interés hasta hace poco, pero que ahora inquieta, no resulta fácil de aprehender.

El bibliógrafo atiende a la rareza del pliego, el crítico
a su calidad literaria, el historiador a su significado desde

un punto de vista propio. Personalmente lo he estudiado como etnógrafo y folklorista y por eso me han interesado las cuestiones de duración y expansión más acá de las fechas en que termina el catálogo de Carolina Lecocq. Por esto también, digo y repito, que no soy el más adecuado prologuista en el caso.

Julio Caro Baroja.

Nota del autor

Este trabajo se enmarca en una investigación más amplia llevada a cabo por el equipo de R. Chartier, en el seno de l'Ecole de Hautes Etudes en Sciences Sociales de París, consagrada al estudio del «impreso de gran circulación en la Europa moderna».

Esta razón, junto al hecho de que yo misma soy historiadora de la época Moderna, me llevó a circunscribir mi trabajo a los siglos XVI, XVII y XVIII.

Ello ha sido posible gracias a una beca de investigación que me fue concedida por el Ministerio de Asuntos Exteriores, al que quiero agradecer, además su publicación.

Querría hacer, sin embargo, una advertencia. No he incluido en mi trabajo los «pliegos» que J. Charles, encontró en 1956 en la Biblioteca Nacional de París y que se recogen en su trabajo de DES, que he consultado en el Institut d'Etudes Hispaniques de París. He querido que los ejemplares fueran inéditos, y espero que este trabajo sirva de modesta contribución para la apertura de nuevas vías de investigación.

I

La influencia del impreso en la formación de las mentalidades

Fue Lucien Febvre [1] el primer historiador que se interesó por el estudio del impreso y su impacto en la sociedad a partir de la «revolución» que supuso la aparición de la imprenta. El historiador francés vio en el impreso, el gran difusor de temas y motivos entre todos los ámbitos sociales, especialmente entre aquellos que habían estado al margen hasta entonces de la cultura escrita.

Son tres los factores que modificaron a partir del siglo XVI las mentalidades de la Europa Moderna [2].

Por un lado, el nuevo papel que asumirá el Estado creando un «estado de justicia» que suprimirá la defensa propia del honor por el individuo.

En segundo lugar, la aparición de formas nuevas de religiosidad que tras el Concilio de Trento, tomarán la for-

---

[1] L. FEBVRE y H. J. MARTIN, *L'apparition du livre, l'Evolution de l'humanité,* Paris, Albin Michel, 1958.

[2] P. ARIÈS, G. DUBY, bajo la dirección de, *Histoire de la vie privée,* T. III, De la Rennaissance aux Lumières, Cap. I, «les figures de la modernité», págs. 21 a 161. Paris 1987.

ma de una piedad interiorizada, apoyada en la confesión
y en formas colectivas de vida parroquial.

El tercer elemento, que es el que nos interesa, es el de-
sarrollo de la alfabetización y la difusión de la lectura, gracias a la imprenta [3].

Esta, supuso efectivamente una revolución de las mentalidades en el comienzo de la época moderna, pues per-
mitió la difusión, en una escala hasta entonces desconoci-
da, de impresos, fácilmente manipulables, y dio a la imagen y a los textos una mayor presencia en las ciudades.

A partir de Gutemberg, la cultura de las sociedades oc-
cidentales, fue pues, una «cultura del impreso». Los pro-
ductos de las prensas penetraron en la sociedad llevando
consigo las ideas que se instalaron en los hogares, así como en las calles y plazas. La sociedad española es entonces eminentemente rural [4], y su cultura fundamentalmen-

---

[3] La industria editorial española en el siglo XVI era una industria
pequeña, dispersa geográficamente, carente de materias primas buenas y baratas y con un mercado bastante reducido. Estas dificultades
estructurales hicieron que no pudiera abordar grandes ediciones de difusión interior. Pero esto no era una característica de la industria editorial sino que lo fue de toda la industria de la época: había una enorme falta de inversiones y de hombres de empresa además de malas materias primas. Esto hizo que el gran comercio de libros cayera en manos extranjeras vinculadas a redes editoriales internacionales.
Jaime Moll «Valoración de la industria editorial española en el siglo XVI», *Livres et lectures en Espagne et en France sous l'ancien régime, colloque de la Casa Velázquez,* Editions ADPF, Paris, 1981 (17,
18, 19 Nov 1980), pág. 80.

[4] Hay un medio para medir el impacto de la nueva cultura escrita, este indicador histórico es la capacidad para poder firmar o no con
su nombre los documentos. Pero sin embargo habría que objetar muchas cosas, puesto que el porcentaje de firmantes no da realmente la
medida de las competencias culturales. En el Antiguo Régimen, lo primero que se aprende es la lectura, luego la escritura. Así pues, todos
los que leen no saben firmar y todos los que firman no saben escribir.
Así pues la tasa de firmantes es un indicador cultural macroscópico
que no mide la capacidad de lectura (que es mayor que la tasa), ni
tampoco la escritura (que es inferior). La tasa de «alfabetización» (de

te oral y visual, apoyada en el gesto. La ciudad será el refugio del escrito [5], donde se instalarán las imprentas y circularán los impresos. Sus funciones administrativas, judiciales y comerciales harán de ella un mundo radicalmente diferente del entorno rural que la rodea.

A partir del siglo XV, la imprenta da al escrito una dimensión nueva, aumenta de manera inédita su número, diversifica sus formas y aumenta el área social de su circulación [6].

La cultura del impreso dará lugar a una serie de gestos nuevos, como es la lectura personal, privada y retirada del mundanal ruido, que se difundirá en la época moderna.

Los progresos en el saber leer y en el saber escribir [7],

---

firmantes) en España es, para la Edad Moderna en Toledo, para los hombres notables:

de 1515 a 1600	1651-1700	1751-1817
49%	54%	76%

Hay pues una tendencia plurisecular a la alza. (Datos tomados de M.C. Rodríguez y B. Bennassar «Signatures et niveau culturel des témoins et accusés dans le Tribunal d'Inquisition de Tolede (1525-1817)». *Caravelle,* n.° 31, 1978, págs. 19 a 46.

Y en Madrid:

1650	de 1651 a 1700
45%	37%

(Datos tomados de A. Larquié «L'alphabetisation à Madrid en 1680», *Revue d'Histoire Moderne et Contemporaine,* 1981, págs. 132 a 157.)

Por lo tanto, no se puede apostar siempre por el progreso lineal y continuo ya que hay cierta fragilidad en este proceso que se hará irreversible a partir del siglo XIX.

[5] R. CHARTIER, «La circulation de l'écrit dans les villes françaises, 1500-1700», *La ville classique,* T. III, Histoire de la France Urbaine, Seuil, Paris 1981 y Colloque de la Casa Velázquez, Opus cit.

[6] R. CHARTIER, «L'imprimé dans la cité et une clientèle citadine», págs. 101 a 118 de *Lectures et lecteurs dans la France d'Ancien Régime,* Paris, Seuil, 1987.

[7] El fenómeno de la alfabetización es difícilmente cuantificable, sólo a partir de la segunda mitad del siglo XVII los datos son fiables. Pero sería un error pensar que había una débil alfabetización y que la cultura escrita era monopolio de los clérigos. Los progresos espec-

hacen que el individuo se emancipe de los antiguos lazos que le ataban a la cultura oral y quitan terreno a valores antiguos atribuidos a la palabra. La lectura silenciosa que lleva a la reflexión solitaria en la intimidad, libera al hombre de antiguas mediaciones, le sustrae al control del grupo y le deja replegarse sobre sí mismo. El hombre puede pues, emanciparse de formas tradicionales de existencia. Antes, el individuo estaba ligado a la comunidad y dependía de mediadores, intérpretes, que a partir de ahora no le harán falta, pues podrá leer directamente la palabra divina o los decretos del Soberano.

Esta evolución, sin embargo, no fue destructora de prácticas anteriores, ni fue adoptada por todos los que manejaban el impreso, pues seguirá existiendo una lectura común y en voz alta que supone el uso colectivo del objeto impreso y su oralización con el fin de hacer más fácil su comprensión al lector inhábil.

Sin embargo, estas innovaciones producidas por la imprenta no se hicieron sin resistencias y habrá un importante rechazo y hostilidad a la palabra impresa, instrumento de las autoridades para imponer la Ley. Al rechazar la cultura del escrito, se reivindica una cultura tradicional fundada en la palabra y el signo, reflejo de la igualdad primitiva de los hombres. Por su parte, las élites cultas también rechazaron la imprenta a la que acusaban de corromper los textos y profanar su espíritu.

Así pues, el cambio de mentalidades fue bastante complejo, pues hubo resistencias, pervivencias de antiguas prácticas culturales y nuevas formas de comportamiento.

Situado arriba de la jerarquía de los impresos se encuentra el libro. Los libreros se fueron implantando en la

---

taculares en el saber leer y en el saber escribir desde 1600 a 1800 nos hacen pensar que desde 1400 a 1600 había habido una larga preparación en este sentido.

ciudad, sus tiendas estaban abiertas a la calle con los libros expuestos al transeunte. Las librerías de los siglos XVI y XVII constituyen lugares de sociabilidad y convivencia para las élites cultas, al mismo tiempo que hacen del libro un objeto familiar incluso para el que no lo va a comprar, puesto que puede ojearlo.

La posesión del libro en las ciudades está muy desigualmente repartida [8]. Los artesanos no acceden a él, y los mercaderes tampoco se destacan por su posesión. A finales del siglo XVII sigue siendo monopolio «de los que administran las cosas y las gentes, las almas y los cuerpos» [9]; es decir, del mundo de los oficios y la pluma.

Sin embargo, el reparto del libro en las ciudades por sí solo, no sirve para comprender la circulación de la palabra escrita y ello por dos razones esenciales:

La primera de ellas es que existía todo un circuito para los libros, como es el préstamo, la reventa, el regalo, que nos hace pensar que el libro circulaba rápidamente entre diversas manos. Su utilización será colectiva en el taller, la cofradía, la taberna, de modo que un solo libro podía ser leído por innumerables personas, superando su uso al del libro poseído por un solo lector [10].

La segunda razón, es la variedad de formas, aparte de la puramente libresca, que puede adoptar el impreso, que marcará toda la cultura del Antiguo Régimen: son los carteles, pasquines, panfletos, almanaques, imágenes de cofradías, imágenes religiosas y especialmente los pliegos sueltos de cordel. Todos estos impresos invadirán la vida cotidiana de la ciudad y agilizarán la circulación de la pa-

---

[8] R. CHARTIER, «Les lectures populaires», págs. 88-91 de *Lectures et lecteurs,* opus cit.

[9] R. CHARTIER, «Du livre au lire, les pratiques citadines de l'imprimé, 1660-1780», págs. 165-223 de *Lectures et lecteurs,* opus cit.

[10] R. CHARTIER, «La circulation de l'ecrit dans les villes françaises 1500-1700», opus cit., págs. 151 y 154.

labra escrita, contribuyendo decisivamente a la difusión de textos y motivos a un mayor número de personas[11].

Por otro lado, el invento tipográfico produjo ciertas particularidades, sobre todo en las formas mismas del objeto, del libro.

El gran libro o «Gran Folio» será el libro de estudio o de universidad, el libro medio o libro «humanista» será el libro de lectura de los textos clásicos o literarios y el libro pequeño se podrá llevar consigo en el bolsillo, libro de cabecera con utilizaciones múltiples, religiosas o seculares, con un círculo de lectores cada vez más grande y no tan escogido.

Como dijo Lord Chesterfied, en el siglo XVIII, «Los sólidos in-folios son los hombres de negocios con quien trabajo por las mañanas, los quartos son la compañía variada y cómoda con quien me siento después de comer y paso mis veladas con los ligeros y frívolos cotilleos de los pequeños octavos y duodécimos»[12].

Así pues, por el formato del libro, por su circulación y por el tipo de lectura que ambos implican, cabría definir o identificar a su lector. Ese lector en quien pensaba el impresor en el momento de crear un libro; el futuro comprador de la mercancía.

Frecuentemente se ha identificado los impresos de gran circulación, y en especial los pliegos sueltos, con un tipo de lector popular. Sin embargo, no me gustaría caer en ese tipo de generalizaciones que ocultan la complejidad de estos impresos. Se les ha contrapuesto demasiado rápidamente a la cultura erudita; pero las nuevas tendencias de la investigación parecen indicar que su uso fue múltiple,

---

[11] N. Z. DAVIS, «The printing and the people», *Society and culture in early modern France*. Standford U.P. 1975, Paris, Aubier-Montaigne, 1979, págs. 308-365.

[12] R. CHARTIER, sous la direction de, *Les usages de l'imprimé*, Fayard, Paris, 1987, págs. 8-9.

así como su lectura compartida por diferentes grupos sociales. Hay, pues, que evitar el catalogarlos necesariamente como populares, ya que ninguna significación se puede establecer a priori basándose únicamente en su forma tipográfica [13].

Los textos e impresos de gran circulación se saltan los límites de los diferentes estamentos sociales y gustaban a lectores de muy diferente condición. Por otra parte, han estado durante bastante tiempo al margen de los estudios ya que la Historia siempre ha privilegiado los objetos más nobles. Sólo la pasión de los coleccionistas y bibliófilos, como Samuel Pepys o Pío Baroja [14], han conseguido salvarlos y hacerlos accesibles a los investigadores.

Después de haber hecho estas puntualizaciones, me gustaría presentar los materiales que he encontrado en las principales bibliotecas de París (Nacional, Mazarina y Arsenal) que constituyen el objeto de este trabajo.

---

[13] «Il faut relocaliser des objets trop vite considérés comme constituant le patrimoine commun d'une culture suposée populaire, générale et imobile» ibidem, págs. 12 y 13.

[14] WILSON, E. M., «Samuel Pepy's chap-Books», part I en *Transactions of the Cambridge Bibliografical society,* II-2, 1955.

Los pliegos de Pío Baroja han sido estudiados por C. Baroja, *Ensayo sobre la literatura de cordel,* Madrid, Ed. Revista de Occidente, 1969.

II

Comentarios al catálogo: El pliego y la evolución de su contenido

El pliego de Cordel es un impreso muy heterogéneo desde el punto de vista de su contenido, ya que reúne una pluralidad de géneros literarios, siendo sus características tipográficas el único elemento unificador.

Por esta razón, he preferido utilizar como criterio de selección el elemento tipográfico (lo que los franceses llaman la «mise en imprimé»), haciendo caso omiso de criterios estéticos o literarios, sin detenerme, por ejemplo, en la distinción entre prosa y poesía o entre pliego poético y relación [15].

Pero una vez elegido el criterio de selección, surgió el problema de definir el pliego de cordel, para distinguirlo de otros pequeños impresos. Así, no hay que pensar que todo pequeño impreso es un pliego ya que tiene que reunir determinados caracteres; ha de tratarse de un impreso pequeño, ligero, corto, con ciertas características de com-

---

[15] «Mise en imprimé», es la operación técnica que hace el editor para adaptar un texto a un formato bibliográfico dado, el del pliego de cordel por ejemplo.

posición tipográfica y con un número de páginas entre una y dieciséis. Este convencionalismo resulta necesario si no se quiere confundir con los resúmenes de libros de caballerías, libros que narran entradas reales, festejos, etc..., impresos éstos que, aun teniendo la misma estructura y finalidad, no se pueden considerar pliegos, ya que este es un impreso ligero que vendían los ciegos por las calles y plazas colgado de un cordel.

Otro problema que se me planteó, fue el de saber si los pliegos parisinos son o no representativos de los que circularon en España en los siglos XVI, XVII y XVIII. ¿Quién los compró?, ¿cómo llegaron allí?, ¿por qué esos y no otros?

No tengo, como Mari Cruz García de Enterria, el nombre de un coleccionista o bibliófilo [16], que pueda orientarme, puesto que mis pliegos no hacen parte de ninguna colección, de ninguna donación conocida que pudiera ayudarme a comprender el por qué han sido escogidos. Estudiando el contenido pude comprobar que había muchos que se referían a momentos históricos de fuerte contacto con Francia, tales como la revuelta de los catalanes en 1641 o la guerra de Sucesión a la corona de España.

Podría ser ésta una de las razones para su conservación, pero hay que ser conscientes de que en todas las bibliotecas del mundo, los libros han llegado allí en virtud de múltiples criterios de selección, ya sean objetivos o arbitrarios.

El estudio sistemático de los fondos de estas bibliotecas, en busca de pliegos fue realmente una tarea difícil,

---

[16] Samuel Pepys visitó Andalucía en 1683-84 y coleccionó innumerables pliegos, conservados hoy en el Magdalene College de Cambridge.

Mari Cruz García de Enterría ha hecho estudios sobre ellos, el más reciente es: *Sátiras graciosas de Quevedo,* Ed. de la Comunidad de Madrid, 1987.

dada la inmensidad de los fondos españoles en París, repartidos entre la Biblioteca Nacional, Mazarina y del Arsenal.

El fondo antiguo español está reunido en un solo fichero que centraliza todos los datos, pero el estudio sistemático del mismo me hubiera llevado años. Teniendo en cuenta, además, que los pliegos suelen ser obras anónimas o de autores de poca relevancia, me incliné por el estudio de sus títulos. Los estudios más recientes [17], demuestran que el 90 por 100 de los pliegos tienen un comienzo similar: romance, relación, canción, copla, jácara. Así pues, elegí estas cinco entradas en el fichero ya que son las más frecuentes y representativas.

El fondo más importante es el de la Biblioteca Nacional de París, en la que los pliegos están repartidos o más bien dispersos, entre la Reserva (para los más antiguos o raros) y la signatura Yg (poesía española), lo que no quiere decir que no se encuentren muchos en otros lugares. Generalmente no están encuadernados y se presentan como hojas sueltas. Por otra parte, he podido constatar lagunas en el fichero, que data del siglo XIX, y dificultades en la conservación de los impresos. Todo ello impide que este catálogo pueda considerarse exhaustivo, pero recoge alrededor de un 70 por 100 de los pliegos que existen en París, para la época Moderna. Por otro lado, he querido situar mi investigación entre los siglos XVI, XVII y XVIII ya que, por un lado, soy historiadora de la época moderna y, por otro, esta investigación se inscribe en una a su vez más amplia llevada a cabo por el equipo de M. Chartier

---

[17] F. AGUILAR PIÑAL, «Romancero popular del siglo XVIII», *Cuadernos bibliográficos XXVIII,* Madrid, CSIC, 1972.
— M. C. GARCÍA DE ENTERRÍA, *Sociedad y poesía de cordel en el Barroco,* Madrid, Taurus, 1973.
— J. MARCO, *Literatura popular del siglo XVIII y XIX en España,* Madrid, Taurus, 1977, 2 T.

de L'E.H.E.S.S. sobre los impresos de gran circulación en la época moderna.

Desde este punto de vista, el pliego de cordel, aun siendo un particularismo español, hace parte de un mismo fondo cultural europeo, ya que tiene numerosas analogías con los impresos franceses, italianos e ingleses tanto en los temas preferidos como en los formatos, títulos y contenidos. Más concretamente en Francia coinciden con «La bibliothèque bleue de Troyes», los «occasionels», los «canards», «les nouvelles en vers» [18].

Como he dicho anteriormente para identificar los pliegos de cordel me he guiado por su forma externa, haciendo un análisis de la superficie del objeto, de sus formas tipográficas, de todas esas marcas y signos que le hacen en definitiva, ser diferente de otros impresos. El estudio se ha hecho, pues, en función de lo que los franceses llaman «bibliographie matérielle» [19].

Hasta ahora los pliegos de cordel no habían sido estudiados en su conjunto como género bibliográfico y habían sido objeto de estudios realizados desde posiciones diferentes, provocando juicios parciales e incompletos. «Como antecedente indiscutible de la prensa actual figurarán siempre en la historia del periodismo, como relato noticioso, ocuparán un puesto en los tratados de historiografía; por razón del valor estético de algunos de sus textos se incluyen a veces en la historia literaria. Las características tipográficas ya aludidas y el público consumidor interesan a los especialistas en materia de cultura popular» [20].

---

[18] R. CHARTIER, *Lectures et lecteurs,* op. cit., págs. 102 a 115.

[19] I. VEYRIN-FORER, «Fabriquer un livre au XVI siecle», págs 279-300 de *Histoire de l'Edition Française, TI, Le Livre conquérant, 1500-1600,* Dir. por H. J. Martin y R. Chartier, Paris, Promodis, 1986.

[20] J. SIMÓN DÍAZ, *Las relaciones de sucesos ocurridos en Madrid durante los siglos XVI y XVII,* pág. 111 del Coloquio de la Casa Velázquez, op. cit.

En realidad, para el lector de la época, formaban un conjunto bastante homogéneo que podía divertir su imaginación proponiéndole verdades maravillosas, ficciones verídicas, historias dignas de ser leídas o simples noticias de la Corte.

El pliego de cordel está formado por uno o varios cuadernillos de hojas de papel barato. Si la hoja de papel está doblada por la mitad se tratará de un pliego de tamaño más grande (tamaño in-folio): si se dobla dos veces su tamaño será más pequeño (in cuarto); y si se dobla otra vez será aún más pequeño (in octavo).

El tamaño más comúnmente utilizado por los impresores es el in cuarto, que formará un cuadernillo de cuatro hojas de papel, es decir, ocho páginas. Los pliegos más comunes suelen tener uno o dos cuadernillos y raramente tres o cuatro, que pueden estar cosidos entre ellos o no. Y en esta cuestión me parece muy acertada la definición que de los pliegos de cordel ha dado Mari Cruz García de Enterría: «Admito como auténticos pliegos sueltos los cuadernillos de dos a dieciséis hojas y también las hojas volantes impresas por un solo lado o por los dos» [21].

El nombre de pliegos de cordel o en catalán de «canya i cordil», tiene su origen en el hecho de que estos impresos o hojas volantes eran colgados, a la hora de ser vendidos, de un cordel tensado entre dos piquetes. Esta mercancía era vendida en la calle de manera ambulante y los ciegos detentaban su monopolio.

La estructura del pliego suele ser fija y perdurará a lo largo de tres siglos con ligeras variaciones: el pliego se compone de:

---

[21] *Sociedad y poesía de cordel,* op. cit. pág. 61.

Título

En el siglo XVI es muy escueto, de una o dos líneas, aunque poco a poco, según avancen los años, se irá haciendo más extenso, hasta llegar a ocupar incluso toda la primera página. La estructura de las frases lo hacía fácilmente memorizable, de manera que pudiera ser cantado o recitado por el ciego a fin de atraer a sus clientes.

La imagen o el grabado

La imagen consistía normalmente en una xilografía, esto es, una impresión tipográfica realizada con tacos de madera grabados y que se situaban debajo del título. Las maderas eran trabajadas en relieve y luego se pasaban por tinta para imprimirse, rodeadas de los caracteres móviles de imprenta.

Las xilografías pueden consistir en motivos ornamentales tales como bandas, florones, viñetas, etc... Estos motivos se dan en proporciones elevadas en los pliegos de cordel. Sin embargo, los grabados de figuras irán desapareciendo conforme avance el siglo XVII, y llegaron a representar:

un 20 por 100 de los grabados entre 1530-1570
un 15 por 100 de los gragados entre 1570-1600
un 10 por 100 de los grabados entre 1600-1640
menos de un 10 por 100 a partir de 1640 [22].

Esta tendencia a la baja de la ilustración será aún más acusada en los impresos baratos y tenía su origen en los elevados costes de la misma, que el impresor intentaba reducir a fin de ahorrar tiempo y dinero.

---

[22] M. PASTOUREAU, «L'illustration du Livre», págs. 501-531 de *Histoire de l'édition francaise,* T. I, op. cit.

Otra manera para ahorrar costos e intentar conservar un mínimo de ilustración, fue la reutilización de grabados antiguos, tratando que su significado tuviera algo que ver con el texto; a veces son imágenes totalmente inadaptadas al gusto artístico imperante en el momento.

A finales del siglo XVI, hace su aparición el grabado sobre cobre o de «talla dulce», procedimiento más elaborado y más caro que no será aplicado por esta razón a los pliegos de cordel.

Estos seguirán ilustrándose con xilografías, mucho más baratas y prácticas, puesto que al incluirse dentro de los caracteres móviles de imprenta ofrecían múltiples posibilidades de composición. El impresor es normalmente quien fabrica los caracteres de imprenta y quien decide, usando de una casi entera libertad de composición, de qué manera se va a ornamentar el pliego. Cada pliego solía ir ilustrado por uno o dos grabados, fabricados o importados por un «dominotier».

El libro tomará su forma clásica hacia 1530, forma que seguirá en líneas generales el pliego. Comenzará la página de texto con un grabado lineal en forma de banda y la primera palabra comenzará por una letra historiada. Hasta 1560-70 se incluirá en la primera página un grabado de figuras que en el siglo XVIII reaparecerá.

En la época barroca, edad de oro del frontispicio, del título ornamentado y de los elementos gráficos, la rareza de imágenes principales favorece el que se desarrollen ornamentaciones accesorias. Estas pequeñas orlas y motivos estructuran el texto ayudando a su lectura.

En general se puede decir que los grabados sobre madera no suelen estar firmados y son anónimos. Tienen cierta influencia alemana o italiana pero rápidamente se adaptarán al gusto español. La ilustración del libro sigue las mismas tendencias que en Europa, sus épocas doradas serán el Renacimiento (1545-1565) y la Ilustración

(1755-1775). Entre estas dos fechas su calidad se ha ido degradando y 1660 marca su período más mediocre, sólo en el siglo XVIII saldrá la imprenta de esta profunda crisis [23].

El texto

Escrito en prosa o en verso, si lo está en verso su forma será la del romance; composición métrica octosilábica, cuya rima se reduce a la asonancia de los versos pares quedando libres los impares. Los versos se disponen en dos columnas por página, tanto por el anverso como por el reverso de la hoja y cada romance o relación forma una unidad de lectura completa (en el siglo XVIII aparecerán las partes por entregas).

A principios del siglo XVI, los «romances viejos», es decir, del fondo antiguo o medieval, alcanzaron una gran boga y se imprimieron con gran profusión en pliegos y hojas sueltas: «tan cantados y leídos eran esos romances por todos que sus versos se infiltraban en la fraseología corriente del idioma, en las obras literarias y en los diálogos de teatro» [24].

Esa moda de los romances hizo que a partir de 1580, autores de primera y segunda fila imitaran el estilo de los «romances viejos» con mejor o peor fortuna, publicándolos de manera conjunta y anónima en colecciones de bolsillo tituladas «Flor de romances nuevos. 1588».

Sus autores ejercitan un estilo impersonal, anónimo, haciendo del romance tradicional un modelo estilístico. Es-

---

[23] J. DUPORTAL, *Etude sur les livres à figures édités en France de 1601 a 1660,* Paris 1914.

[24] R. M. PIDAL, «Las letras», cap. I, pág. 9, en *El siglo del Quijote 1580-1680,* Vol. II, Las letras y las Artes, Col. Historia de España, R. M. Pidal, T. XXVI, Espasa Calpe, Madrid, 1986.

tos romances nuevos, debido a la gran demanda del público, pasarán a imprimirse en pliegos.

En el siglo XVII el gusto por el artificio y el concepto hace que la moda de los romances viejos caiga poco a poco en el olvido. Es la época de los romances heroicos o reales de once sílabas, llenos de cultismos, lo que no significa en modo alguno que el interés por el romance viejo desapareciera completamente, ya que los pliegos de cordel se dirigían a una clientela muy variada. La explicación de esto podría estar en el hecho de que los pliegos que seguían las modas (de los romances viejos en el siglo XVI, del romance culto, artificioso e intelectualizado en el siglo XVII) estarían dirigidos a una élite culta y amante de las novedades, mientras que los romances viejos impresos en el siglo XVII harían las delicias de clases más populares.

El texto del romance podía ser cantado, con música de guitarra o vihuela. La forma cantada, versificada y con rima es una manera privilegiada de hacer que el texto llegue a los analfabetos y gentes poco letradas, ya que el canto favorece su transmisión y su memorización.

El pliego recoge la poesía lírica campesina bajo la forma de villancicos, letrillas, seguidillas, romancillos, las llamadas «letras para cantar» [25].

Además, el texto del pliego asimila diversos géneros cortos procedentes del teatro como la loa, el entremés, la mojiganga o la jácara, «ramas de un mismo tronco» [26], con enorme éxito ante el público de las comedias y más tarde del pliego. Estos géneros menores del teatro corto tienen en común, fuerte tono y groseros contenidos así como la utilización de la música y el baile.

Se trata, pues, de géneros muy polifacéticos que po-

---

[25] Ibidem, cap. IV, «La poesía y la novela en la época barroca» de M. P. PALOMO VÁZQUEZ, pág. 334.

[26] Ibidem, cap. III, «El teatro en la época barroca» de J. M. DÍEZ BORQUE, pág. 230.

dían ser leídos por diversos tipos de gentes que se reconocían en su lectura, y servían para captar la benevolencia del lector, alabar a una persona ilustre o divertirle con temas burlescos de gran arraigo.

El pliego tiene, además, otras indicaciones como son el autor, el librero editor, lugar y fecha de edición, el permiso o licencia para imprimir y a veces, el precio.

Estos datos nos dan una idea de quien imprimía los pliegos: generalmente el librero hacía las veces de impresor o si no encargaba la edición. Se vendían en la misma imprenta o si no los ciegos se encargaban de vender su mercancía en puntos transitados de la ciudad.

La licencia para imprimir la llevaron los pliegos desde 1502 hasta, más o menos, 1680[27], y luego esta censura previa no consta más que raras veces. El precio, raramente indicado, suele rondar en torno a los dos cuartos[28]. En fin, estos datos nos sirven para intuir quién era su creador, su impresor y su posible circulación.

España, durante la época moderna, siguió siendo fiel a un cierto concepto medieval de la pobreza y, por tanto, a tratar a los pobres con cierta benevolencia. Los pobres legítimos, cuya mendicidad se reconocía como un derecho porque estaban imposibilitados para trabajar, se diferenciaban de los ociosos. El mendigo reconocido, tenía una licencia municipal que le permitía vivir de la caridad en su ciudad y seis leguas a la redonda[29]. Un grupo privilegiado entre estos pobres, lo constituían los ciegos que tenían para su sustento el privilegio o monopolio de recitar

---

[27] M. Cruz García de Enterría, *Sociedad y poesía...* op. cit., pág. 72.

[28] Ibidem, págs. 76-83.

[29] J. F. Botrel, «Les aveugles colporteurs d'imprimés en Espagne», *Mélanges de la Casa Velázquez,* CNRS, T. IX, X, 1973-74, pág. 425.

oraciones o vender pliegos. Los ciegos de las ciudades se reunían en cofradías cuyos estatutos defendían sus privilegios y estaban oficialmente reconocidos por las autoridades municipales. Un ejemplo de esto es el estatuto de la «Cofradía de ciegos de Madrid» que aseguraba a sus miembros, además del monopolio de las oraciones, el de la venta de gacetas, almanaques y pliegos de cordel [30]. Estos ciegos lo que hacían era vender los impresos que compraban al librero editor y sólo unos pocos fueron autores conocidos de pliegos: entre ellos se encuentra Cristóbal Bravo, autor de un pliego del siglo XVI de mi catálogo [31]. En su mayoría se limitaban a hacer de intermediarios entre el editor y los lectores, aunque eran intermediarios activos, pues cantaban y oralizaban, dando vida al impreso.

A continuación tras el análisis formal del pliego (título, grabado, texto) intentaré abordar el estudio de la evolución de su contenido que fue paralela al cambio paulatino del gusto y de las mentalidades.

Siglo XVI

He encontrado 37 pliegos de cordel del siglo XVI, de los cuales 28 están en letra gótica y 9 en itálica. No están datados y por tanto, quizá haya algún pliego del siglo XV [32].

Los temas de estos pliegos que he encontrado son bastante diversos, pero se podrían clasificar entre los de la «epopeya legendaria medieval», los del «ciclo carolingio», «temas del amor cortés» y de tema religioso, político, sa-

---

[30] Ibidem, pág. 424.
[31] A. RODRÍGUEZ MOÑINO, *Cristóbal Bravo ruiseñor popular del siglo XVII,* 1950.
[32] Son los pliegos núms. 1 a 37 del Catálogo.

tírico o burlesco que cultivan las historietas groseras o disparatadas.

Estos motivos son característicos de la litertura tardo medieval, pues sus autores son Jorge Manrique, Pedro Manrique, segundo Conde de Paredes, Antón de Montoro (+1480), Fray Iñigo de Mendoza y Juan de Valladolid (o Juan Poeta), hombres del reinado de Enrique IV y que vieron el principio del de los Reyes Católicos [33]. Vemos, pues, que gracias a la imprenta sus obras que hasta entonces se difundían bajo forma de copias manuscritas cuya reproducción era muy costosa, podrán ahora, un siglo más tarde (XVI) tocar un público menos estrecho que el de los círculos aristocráticos y cortesanos.

No se sabe con certeza cuál podría ser la tirada de uno de estos pliegos, pero en todo caso no más de mil ejemplares y dada la proporción elevada de analfabetos en la España de aquella época, que ronda el 80 por 100 [34], hay que ser prudentes cuando se habla de la difusión de los mismos. Su lectura estaba reservada a un franja estrecha de la sociedad, a una élite urbana. También es verdad que este fenómeno será compensado, en una medida difícil de evaluar con precisión, por el hábito de la lectura pública: los que saben leer, leen para los demás. Los pliegos poéticos, en realidad, no estaban hechos sólo para la lectura, sino también para ser recitados en público o para ser cantados.

Los temas más conocidos de la literatura del siglo XV pasarán a formar parte de las lecturas de las clases urbanas letradas del siglo siguiente. Los pliegos se difundirán y habrá una enorme demanda de estas hojas sueltas que a veces son verdaderas obras de arte.

---

[33] J. PÉREZ, *Isabelle et Ferdinand, Rois Catholiques d'Espagne*, Fayard, 1988, «le prelude du siécle d'Or», pág. 308.

[34] M. CHEVALIER, *Lectura y lectores en España en los siglos XVI y XVII*, Madrid, Ed. Turner, 1976, pág. 124.

Se puede encontrar en ellos todo tipo de escritos: de circunstancias (sobre Lepanto, por ejemplo), en los que se cultiva el ingenio socarrón o la palabra graciosa, así como las leyendas nacionales. El romance, dada su enorme versatilidad, recoge también los temas que pertenecen al fondo común del folklore europeo: el ciclo carolingio o bretón, como los de la «tabla redonda» o del «Santo Graal». Tiene el romance una capaciad para adoptar los temas y asuntos más diversos: todo lo que trate de las alegrías y las penas de los hombres, el amor y la muerte, la sed de aventuras, el dolor y el exotismo. Esta aptitud hizo que perdurara y sedujera más tarde, a finales del siglo XVI, a los hombres de letras como Lope de Vega, Góngora, Quevedo [35], o Cervantes.

Ellos volvieron a poner de moda el género y se esforzaron por encontrar los secretos de su éxito: el anonimato, su aparente sencillez y su carácter «popular».

En general, se puede decir que los temas del siglo XVI, tienen dos grandes tendencias: por un lado el ideal caballeresco, y por otro el mundo celestinesco.

El ideal caballeresco refleja el tipo de vida de la caballería declinante (estos temas representan el 37,8 por 100 de los pliegos del siglo XVI, es decir uno de cada tres), lectura de evasión que refleja un mundo que cada vez se parece menos al del siglo XVI, y eso era lo que precisamente seducía a los lectores de los tiempos de Carlos V: la caballería heroica y ejemplar que no existe, como ya nunca existirá, pero también como quizá nunca existió, que se ha convertido en un mito evocado con nostalgia.

El contrapunto lo da la historieta socarrona, extraordinaria, próxima de la sátira y del disparate (32,7 por 100), su gusto es a veces dudoso, toca el tema del amor y de la sexualidad, como el mal casamiento, la prostitución, las

---

[35] *Sátiras graciosas de Quevedo,* op. cit.

celestinas, los filtros amorosos o consejos a jóvenes casaderos. Estos pliegos libertinos demuestran que la censura social no prohíbe estas nociones.

Esta poesía obscena a veces se imprime conjuntamente con romances viejos o de temas religiosos, temas que en principio parecían opuestos, pero que se reencuentran en un mismo pliego. Lo lógico sería pensar que estaban destinados a un mismo lector. Son herederos del burlesco medieval [36], su lengua son las invenciones, los refranes, sus formas son parecidas a las de la fiesta medieval: la inversión, el gigante, el loco. Tienen una concepción grotesca del cuerpo que valoriza lo bajo, lo corporal y en principio choca con la visión aristocrática, cristiana, humanista y cortés del hombre renacentista. Pero yo creo que esta literatura celestinesca ofrece una visión estereotipada del vulgo y refleja en cierta manera la visión del pueblo que tiene una sociedad culta.

Otro tema importante que preocupó en el otoño medieval fue el tema de la muerte, tema estudiado por historiadores como A. Tenenti [37], o P. Ariès [38], que también se refleja en los pliegos de cordel, en las «Coplas de Jorge Manrique a la muerte de su padre». Estas coplas hacen parte de la literatura europea de preparación a la muerte, de los llamados «Ars moriendi» [39]. La muerte es una parte de la cosmovisión barroca cuya importancia se irá agudizando según avance el siglo XVII, la pintura de la «Vanitas» es un buen ejemplo de ello. Sin embargo, esta vi-

---

[36] M. BAHKTINE, *L'oeuvre de Francois Rabelais et la culture populaire du Moyen Age à la Rennaissance,* Paris, 1963.

[37] A. TENENTI, *La vie et la mort à travers l'art du XV síecle,* Paris 1952.

[38] P. ARIÉS, *L'homme devant la mort,* T. I: *Le temps des gisants,* T. II: *La mort ensauvagée,* Paris, Seuil, 1977.

[39] «Normes et conduites, les arts de mourir, 1450-1600», cap. VI de, *Lecteur et lectures,* op. cit., págs. 125-163.

sión de la muerte sólo aparece en este pliego, y ello quizá se deba al éxito editorial.

Otra novedad la constituye un pliego muy interesante que hace referencia a reglas de buen comportamiento. «Documentos de crianza, con algunas reglas de bien vivir» [40]. Refleja una actitud ante el cuerpo y sus relaciones con los demás. Es un código de buena educación, en él hay un mayor control de las actitudes y los impulsos naturales.

Con esta nueva visión, en el siglo XVI se inicia un cambio sustancial en las mentalidades. El hombre intenta refugiarse en su intimidad y prefiere que sus relaciones con los demás no supongan desagrado. De ahí, que las clases cultas quieran conocer estas reglas de urbanidad. Este pliego estaba dirigido a jóvenes de clases acomodadas, pues el pequeño manual dice: «del hablar y hablar con el ordinario», que aspiraban a diferenciarse del vulgo.

Los temas predominantes en el siglo XVI nos devuelven al mundo de lo colectivo: por un lado el mundo feudal, por otro el de la comunidad urbana: el vulgo. En ellos no hay sitio para la intimidad, lo particular se funde en lo general y lo anónimo.

Pero con la llegada del Renacimiento, se atisban nuevas tendencias, ya que el siglo XVI es un siglo de transición y de mutaciones hacia la Edad Moderna. La visión de la muerte como paso personal y que debe hacer meditar sobre la propia vida, así como los nuevos comportamientos en sociedad que llevan hacia la confirmación de la individualidad, de las experiencias propias, sumados a la nueva relación del sujeto con el libro y la lectura como actos personales y solitarios, nos dan una nueva mentalidad para el hombre renacentista.

---

[40] Pliego n.º 37 del Catálogo. Esta nueva actitud con respecto al niño y su educación es analizado por P. ARIES en, *L'enfant et la vie familiale sous l'ancien régime,* Ed. Seuil, 1973.

Siglo XVII

He encontrado 86 pliegos del siglo XVII, en ellos hay temas que son idénticos a los del párrafo del período anterior: los del legendario medieval y caballeresco, las historietas extraordinarias, el tema religioso [41].

Pero dos nuevos motivos irrumpen con fuerza, los que nos muestran los rituales de Estado y las ceremonias de la Corte (que representan un 16,2 por 100), y los militares (63 por 100).

En los nuevos temas hay una total ocultación de lo privado, de lo íntimo (lo que los ingleses llaman «privacy» [42]): del dolor, del sufrimiento, todo se oculta bajo la dignidad o la resignación, hay un total rechazo de la exhibición de los sentimientos propios. Los comportamientos están dirigidos por la discreción y el acatamiento de la norma. A pesar del aparente triunfo de las nuevas maneras de vivir y sustraerse a los demás en la intimidad, perviven formas antiguas de sociabilidad colectiva y esto se refleja en la pervivencia de los pliegos burlescos.

Los pliegos que reflejan el poder y gloria de la monarquía son típicos del Barroco. Se pone el impreso al servicio del poder para movilizar la opinión pública. Pero el barroco dirige, promoviendo la adhesión, persuadiendo. Su recurso es implicar, hacer partícipe de la obra al propio espectador, haciéndole cómplice, impresionando y conmoviendo su voluntad. Esta se moverá por medio de recursos psicológicos.

El apelar a las novedades es uno de los resortes más eficaces de la cultura barroca y se aprovecha del gusto por

---

[41] Los pliegos del siglo XVII son los núms. 38 a 124, ambos inclusive, del catálogo.

[42] La «Privacy» es una nueva actitud del hombre que disocia dos esferas de comportamiento, la pública y la privada. N. Elias fue uno de los primeros en analizarlo en *La Société de Cour,* Paris, Calman-Levy, 1974.

lo novedoso del vulgo, «esto demuestra la ilusión de las masas populares por el cambio ante el hacinamiento en las grandes ciudades» [43], «como dice el vulgar, todo lo nuevo place» [44].

Los pliegos son un ejemplo de la búsqueda de lo nuevo, lo sorprendente, lo inesperado «voces como nuevo, original, caprichoso, raro, extravagante tienen una acepción de elevada estimación positiva» [45].

Pero esto no es sólo un recurso utilizado en España, sino en todo el Barroco europeo. R. Mandrou en uno de sus estudios dice: «Lo oscuro y lo difícil, lo nuevo y lo desconocido, lo raro y lo extravagante, lo exótico, todo ello entra como resorte eficaz en la perspectiva barroca, que se propone mover las voluntades dejándolas en suspenso, admirándolas, apasionándolas por lo que antes no habían visto» [46]. Se pide al poeta que se esfuerce en inventar, «las cosas más raras y admirables» [47]. Todo ello lo utilizarán el poder y la monarquía barroca para llegar a extensas capas de la población y alcanzar todos los niveles sociales. La monarquía, por medio de sus fiestas, procesiones, comedias de tramoyas, entradas reales, bautizos, etc…, institucionaliza la fiesta como medio para mostrarse, y a la vez de ser vista y reconocida por la sociedad, en todo su esplendor y poderío.

La fiesta barroca pone en escena a todos los grupos sociales, unos como actores y otros como público, pero tan importantes son los unos como los otros. Las dos partes

---

[43] J. A. MARAVALL, *La cultura del Barroco,* Barcelona, Ariel, 1986, págs. 270-271.

[44] Ibidem, pág. 454.

[45] Ibidem.

[46] La frase es de J. A. MARAVALL en *La cultura del Barroco,* op. cit., pág. 467 y la obra de R. MANDROU a la que se hace alusión es «Le baroque européen: mentalité pathétique et révolution sociale», *Annales,* 1960, pág. 909.

[47] J. A. MARAVALL, op. cit., pág. 458.

son imprescindibles. Los pliegos de cordel, al relatar estos acontecimientos no hacen más que ampliar la difusión de los gestos de la monarquía: «Las cantan (las fiestas) los poetas, las relatan otros escritores, en alabanza de su magnificencia y exaltación del poder de los señores y gloria de su monarquía»[48].

El pliego se adaptó de lleno a la cultura barroca y siguió sus imperativos. Se puso tanto al servicio de la monarquía y de sus argumentos como de parte de sus oponentes. Esto se ve en la revuelta de las catalanes y portugueses en 1641. En una época de politización al máximo de la vida pública, sirve como arma de propaganda. No se limita a informar, sino que manipula la información.

Pero no habría que confundir la avalancha de pliegos políticos con unos lectores «populares». Los que compran los pliegos son los grupos directamente implicados en los acontecimientos: las élites que quieren estar informadas. Quizá el pliego de los rebeldes catalanes, escrito en la lengua del país fue más accesible al pequeño artesanado urbano y tuvo una lectura más plural. Hizo el esfuerzo de acercarse a las capas más populares y de hablarles en la lengua que entendían.

El pliego se politiza cuando hay una puesta en juego de los poderes del Estado, toma casi el cariz de un panfleto. Lo mismo pasó en Francia, en la época de la Ligue[49].

Ahora bien, hay unos pliegos cuya lectura llegó a casi todas las clases sociales de la ciudad y su lectura fue compartida por diferentes grupos (pequeños artesanos, criados, soldados, menestrales, etc...). Son los que, pasados de moda para las élites, siguen perviviendo en el XVII: los romances de Fernán González, Conde Alarcos, del Ama-

---

[48] Ibidem, pág. 492.
[49] C. JOUHAUD, *Mazarinades la Fronde des mots,* Paris, Aubier, 1985.

dís, del Gran Capitán. Su lejanía en el tiempo frente a la actualidad los descalifica, lo cual no quiere decir que sean despreciados por muchos lectores nostálgicos de una época desaparecida, o a los que les encantan este tipo de historias tan traídas y llevadas por los ciegos.

Dados de lado por la élite, los pliegos recogen estos romances para un público que será cada vez menos ilustrado. Desde el siglo XV al XVII la venta ambulante de hojas sueltas e impresos, contrariamente a lo que será más tarde, es ante todo urbana. Los pliegos de cordel serán una lectura que se irá extendiendo poco a poco a todos los sectores de la ciudad, serán una lectura compartida y constituirán cada vez más, las lecturas de los sectores más humildes [50].

Siglo XVIII

El siglo XVIII marca la explosión de la difusión de la literatura de cordel, los pliegos se multiplican y pasan de ser un impreso cuya circulación es puramente ciudadana a ser leídos en pequeñas ciudades de provincia y en el mundo rural. (Esta tendencia se afianzará en el siglo XIX.)

Será la segunda edad de oro del pliego (la primera fue en el siglo XVI). Pero las élites los desacreditarán totalmente y los atacarán como un género infame que pervierte la mente: «muchos de los que saben leer todavía no han perdido la afición a la lectura de comedias, de fábulas, de historias apócrifas, sátiras personales muy picantes e indecentes coplas... y las conservan en tal grado que no tienen paladar para tomar gusto a otras cosas» [51]. Para

---

[50] R. CHARTIER, «Les pratiques de l'écrit» en, *Histoire de la vie privée,* vol. III, op. cit., págs. 155-156.
[51] «Colección de ideas elementales de educación para una academia de maestros de primeras letras y padres de familia, 1784», en pág.

los ilustrados españoles los pliegos de cordel hacían circular un tipo de literatura ajena al buen gusto y las buenas costumbres. Ese desprecio de las élites ilustradas se hará más patente desde 1750. Así pues, las lecturas que habían sido antaño compartidas serán ahora cada vez más diferenciadas.

En el siglo XVIII el pliego tendrá muy diversas funciones: de cristianización, pues hay innumerables pliegos religiosos, de propaganda o de contrapropaganda, de evasión al evocar mundos fabulosos, de ejemplificación al reflejar la actualidad política o criminal. Esta literatura criminal de patíbulo invita la mayoría de las veces, al pueblo a sacar una lección cristiana del castigo ejemplar o bien, tiene una dimensión de protesta que subyace en su estilo burlesco.

Hay pues, actitudes de conformidad o de resistencia.

En la primera mitad del siglo XVIII lo más importante de los pliegos es su puesta a disposición de los diferentes bandos en la guerra de Sucesión a la Corona (1700-1715). Son el 46,8 por 100 de mis pliegos [52]. Don Carlos y don Felipe los utilizaron de manera sistemática. Pero será sobre todo Felipe V el que ponga a su servicio las cofradías de ciegos. Esto se ve en dos impresos:

— «Romance de los ciegos de Madrid a nuestro Rey y Señor Don Felipe V que Dios guarde».

— «Carta de los ciegos de Madrid a los ciegos de Sevilla».

Hay una guerra total por medio de estos impresos y en ellos los bandos se acusan y esgrimen argumentos, intentando destrozar al contrario.

---

139 de «Lisants et lecteurs en Espagne au XVIII siécle, ébauche d'une problématique» de F. López, cap. XII del *Coloque de la Casa Velázquez,* op. cit.

[52] Los pliegos del siglo XVIII son 112, desde el núm. 125 incluido al 237.

El tono en que está escrito el pliego, que casi siempre es el de la sátira, el juego de palabras, la parodia que apela al sentido del humor del lector hace que sean obras para la diversión: «obra muy gustosa para reír» [53]. Aunque sus fines no hayan cambiado, su estilo es novedoso, en general los pliegos tienen un horizonte burlesco, con canciones, refranes, historietas extraordinarias, parodiando textos célebres. Da la impresión de que el lector echa de menos las manifestaciones de alegría de la fiesta popular, el antiguo espacio comunitario. Estos pliegos podrían reflejar la nostalgia por cierto primitivismo y por eso lo recrean.

Las formas del pliego también tienen ligeras variaciones: aparece el relato en primera persona, que está más cerca de la oralización y crea la ilusión de una comunicación inmediata. Hay una cierta tendencia a la autobiografía, lo privado se muestra públicamente.

Pero lo más característico es la difusión del pliego bajo la forma de carta. El pliego-carta tiene apariencia de mayor autenticidad porque es un escrito íntimo, en el que el lector colocado en posición de «voyeur» se inmiscuye en una correspondencia. Lo íntimo parece verdad, pero para serlo se vuelve público [54].

Así pues, vemos que en el siglo XVIII hay una cierta tendencia a poner en escena el espacio privado, esto es una clara expresión de la individualización de la lectura: cada texto inventa por su tipo de escritura una lector ficticio que interpela y convoca. El discurso que se dirige a un lector único y privilegiado, da la impresión de un intercambio de confidencias.

---

[53] Esta frase aparece en múltiples pliegos del catálogo por ejemplo el núm. 212.

[54] J. M. GOULEMOT, «Les pratiques litéraires ou la publicité du privé», págs. 395-396 en, *Histoire de la vie privée,* op. cit.

III

Nuevas tendencias en el estudio de los «pliegos de cordel»

Una vez analizados los temas más importantes de los pliegos encontrados en el catálogo, me gustaría mostrar cuales son las nuevas tendencias que siguen los investigadores franceses para analizar la literatura «popular».

Para poder acercarse a estos impresos de gran circulación, los investigadores han tratado de abrir nuevas vías. Sus estudios han puesto de relieve la importancia de ciertos signos a partir de los cuales, se puede llegar a comprender quién era el destinatario del impreso, también han puesto mucho interés en la imagen, es decir, el grabado y han buscado la presencia de la cultura oral en el texto.

— Ciertos signos para R. Chartier, así como para C. Ginzbourg [55], son portadores de múltiples significados y pueden ayudar a comprender unos textos que, a pesar de

---

[55] R. CHARTIER, *Lectures et lecteurs dans la France d'Ancien Régimen,* Seuil, 1987.

— *Les usages de l'imprimé,* Fayard, 1987 C GINZBOURG, *I Benandanti, stregoneria e culti agrari tra cinquecento e seicento,* Turin, Einaudi, 1966.

— *I Fromagio e i vermi, il cosmo de un mugnaio del 500,* Turin, Einaudi, 1976.

su aparente simplicidad, en el fondo encierran muchas preguntas sin contestar aún.

Parten del texto impreso y hacen de él un estudio sistemático. Entre el texto literario, unas veces conocido y otras no, y su «puesta en impreso» hay diferencias. Estas modificaciones tienen un por qué: un mismo texto según como esté impreso, tendrá diferentes lecturas y lleva implícitas las claves de su futura clientela.

El trabajo de «puesta en imprenta» es un trabajo de edición. El librero editor que es el que edita el impreso, elige el texto y lo compone, teniendo en cuenta los gustos de los compradores. Así pues, cada impreso tiene un lector implícito. El trabajo de edición distorsiona el texto del autor por medio de las operaciones técnicas de la imprenta. Así, por ejemplo, en los pliegos de cordel se encuentran innumerables rúbricas, sumarios, epígrafes, rótulos y resúmenes. Todos estos signos cortan el texto, lo explican, subrayan y nos quieren decir algo. El texto de un romance puede ser fijo, pero las maneras de imprimirlo no y estas variaciones son las que nos hacen ver a qué tipo de lector iba dirigido, y muchas veces esos cortes y esos sumarios explicativos descalifican el texto, vulgarizándolo.

Todo este trabajo de adaptación no es gratuito, su función es el facilitar la lectura a personas poco familiarizadas con el impreso. También hay algo muy importante que es la relación del lector con el texto. Si este último forma parte de una edición separada, la relación será diferente que si está editado de manera colectiva (por ejemplo bajo forma de «Flor de romances»).

Bajo forma de edición colectiva su sentido es muy diferente: el lector tendrá ante él una obra literaria cerrada, más seria y cuidada que si tiene ante sí, una hoja volante.

Todos estos efectos crean escalas de valores, lo pequeño y lo ligero parece más fútil.

La historia cultural no estudia pues el texto puro, le

jos de toda materialidad, sino que intenta revelar las distancias entre diferentes ediciones de un mismo texto, y estas distancias son las que interpreta. Ellas nos muestran modos de lectura diferenciados, socialmente catalogables.

Se interroga al objeto, al «pliego de cordel» y se intenta que entre dentro de un tipo de lectura, de un orden social.

El texto en sí, puede no ser especialmente «popular» en su significado, puesto que, muchas veces es fruto de la literatura cortesana y del mundo letrado, sino que lo que es popular es la forma específica en que el librero-editor lo ha puesto en impreso. Las formas que adopta al editarse, le adjudican un modelo de lectura.

En el pliego las señales tipográficas están más marcadas y ayudan a sostener la atención del lector. Se reúnen a veces diferentes historietas cortas y separadas entre sí, que mantienen la atención de un lector inhábil cuya lectura es fatigosa y entrecortada y que será más fácil, cuanto más corta sea la pieza.

Se pasa de un texto que ya existía, que hace parte de un fondo conocido: el Romancero por ejemplo, y se le identifica con una «cultura popular» porque adopta una forma tipográfica estereotipada: la del pliego. Se le modifica su sentido por medio de cortes, se subrayan unas cosas y no otras, se mete el texto dentro de una rígida forma tipográfica que tiene sus imperativos y que el lector es capaz de reconocer a simple vista.

Lo «popular» no es el texto sino la forma que adopta después de pasar por manos del impresor, su «puesta en impreso».

La historia cultural intenta rescatar la importante labor de los editores, que son en realidad en el Antiguo Régimen, los artífices de los impresos. En una época en donde la propiedad intelectual no era casi reconocida, un texto podía ser rápidamente imprimido sin consentimiento del autor, adaptándole a un nuevo soporte, para un nuevo cliente.

Lo cual no quiere decir que haya pliegos cuyo texto está compuesto desde un principio según sus normas, son encargos que se adaptan a una forma tipográfica ya establecida.

— Otra de las nuevas vías estudiadas es la presencia en la literatura «popular» de formas oralizadas. Antes, se ocupaba de estas fórmulas sólo la Antropología cultural. Vienen directamente del lenguaje hablado y son importantes porque acercan el escrito a su lector, que forma parte de un mundo que en los siglos XVI, XVII y XVIII es fundamentalmente oral.

En los pliegos se interpela directamente; «como verá el curioso lector», es una de las fórmulas utilizadas para atraerle. Otras fórmulas orales se inscriben dentro del texto: la recitación, la palabra como testimonio, referencias a conversaciones, diálogos. El título está formado por frases orales transcritas directamente, era lo que el ciego gritaba o cantaba. Además recoge el romance, forma literaria a caballo entre lo oral y lo escrito. Estos romances que iban en su origen acompañados de partituras [56], al pasar al pliego ya no irán con música, ahora bien, a veces en los pliegos se apunta: «Cantesé al son de...» y se ilustran con grabados que aluden a instrumentos musicales. En las «sátiras graciosas» de Quevedo [57], los tres grabados de la primera página muestran dos instrumentos: arpa y guitarra.

Los romances se interpretaban según un repertorio variado de canciones, acompañados de instrumentos, generalmente la vihuela y más tarde la guitarra. R. M. Pidal [58]

[56] R. M. PIDAL, Dir. de: *Historia de España*, op. cit., pág. 337.
[57] *Sátiras graciosas de Quevedo,* op. cit.
[58] R. M. PIDAL, *Poesía juglaresca y juglares,* Madrid, Col. Austral, Espasa-Calpe, 1956, pág. 237.

nos describe «al ciego juglar que cantaba viejas hazañas en el siglo XV, que prolongó oscuramente su vida en los siglos siguientes... Vaga el tañedor de la zanfonía y del rabel, por lo común un ciego que recitaba romances de Santos milagreros, de bandidos o monstruosos casos y aventuras, el último resto del juglar de gesta castellano, hermano de aquellos ciegos y mendigos franceses que a fines del siglo XIV cantaban las últimas «Chanson de geste» al son de la cifoine».

Así pues, el pliego tiene numerosas relaciones con la música y la canción, incorpora y hace pervivir melodías y ritmos populares. Su relación con el mundo oral es íntima, y se puede decir que hay un continuo va y ven entre los dos ámbitos.

La práctica familiar y popular de un instrumento o del canto estaba muy extendida en España y en toda Europa [59], recogía una cierta herencia medieval que durará hasta casi el siglo XIX.

Ahora bien, ciertos pliegos no tenían quizá vocación musical, pero no por ello estaban lejos de la cultura oral, sus relatos eran leídos en voz alta ante una asamblea de amigos o dentro del círculo familiar, doméstico. El lector declamaba y debía captar la atención de los que le escuchaban; el libro fomentaba pues, una sociabilidad colectiva que podía ser mundana y cultivada, o bien popular.

La palabra mediatizaba el escrito puesto que lo que hacían era escuchar leer. Esto era frecuente en el siglo XVII por ejemplo en el Ejército: el impreso era leído, escuchado y discutido. Lo mismo ocurría en los famosos mentideros de Madrid.

Sin embargo, los usos populares con respecto a la lectura son bastante variados; el impreso no tiene por qué ser un libro y por lo tanto las lecturas están bastante difu-

---

[59] P. ARIÉS, *L'enfant et la vie familiale...* op. cit., pág. 113.

minadas: en la calle se pueden leer panfletos, pancartas, carteleres, pasquines y pliegos. Pero los materiales que reúnen auditorios populares alrededor de la lectura en voz alta serán fundamentalmente los textos impresos en pliegos sueltos o de cordel y en menor medida, los libros de caballerías [60]. Los pliegos son piezas hechas para la oralización por su estructura interna, su título y su texto, muchas veces cantado o declamado. Una de las maneras para que las capas populares se acercaran al escrito fue la mediación de la palabra [61].

Ha existido hasta ahora la noción de que las lecturas «populares» o comunitarias se desarrollaban al calor del hogar (en las llamadas «veilleés»), pero esto es bastante improbable, puesto que estas asambleas nocturnas, de los que comparten una misma existencia, eran más bien ratos para la conversación u otro tipo de diversiones.

En el siglo XVII como dijo Suárez de Figueroa se difundirá en las ciudades un tipo de vida doméstico y burgués que «Loaba los entretenimientos domésticos de la noche, el recreo de las novelas y varia lección al brasero» [62]. Así pues, será en las ciudades donde se desarrolle una literatura de brasero, cuya lectura fundamental será la novela y los pliegos sueltos y no en el hogar campesino con chimenea de alta campana [63]. Esto se difundirá más tarde, a finales del siglo XVIII y las capas campesinas se familiarizarán con la lectura y el impreso.

Vemos que el pliego es un impreso que recoge muchas cosas que nos acercan al mundo oral.

Una de ellas es el refranero y los proverbios que aíslan

---

[60] R. CHARTIER, «Les pratiques de l'écrit», en *Histoire de la vie privée,* vol. III, op. cit., págs. 155-56.

[61] R. CHARTIER, *Les usages de l'imprimé,* op. cit., págs. 15 y 16.

[62] J. A. MARAVALL, *La cultura del Barroco,* op. cit., pág. 242.

[63] Ibidem, pág. 241.

fórmulas ya establecidas y conocidas por todos, que hacen parte de la memoria colectiva.

Otro signo que nos permite ver lo cerca que está el pliego del mundo oral es la manera en que está escrito: su estructura es continua, sin puntos y a parte. Durante los siglos XVI y XVII la primacía la tiene el orador y el texto está influido por fórmulas orales. A mediados del XVII los textos empezaron a componerse en función de una lógica abstracta y la tradición oral desaparecerá de ellos. Antes, los libros estaban escritos con una estructura continua que refleja la manera de hablar, seguida y fluida. Son textos compactos y que llenan la hoja sin solución de continuidad, como si se tratase de un discurso sin ninguna interrupción. A partir de la segunda mitad del XVII aparece la revolución de la adaptación del discurso en párrafos, con una división que obedece a un pensamiento lógico y racional. Uno de los textos que más influyó en este sentido fue el «Discurso del método» de 1644, así como los libros de los místicos y los manuales de la contrarreforma, todos ellos con una estructura en párrafos, racional y alejada de la oralización. El discurso se argumenta lógica y racionalmente usando los puntos y aparte.

El pliego a pesar de esta revolución seguirá en su mayoría fiel a la estructura continua, cerca del discurso oral; lo que demuestra que siguió fiel a una clientela más cercana del mundo oral que al de la abstracción y el escrito.

Según la forma que adopte el pliego, según sus características propias se podrán discernir diferentes prácticas de lectura, diferentes fórmulas de asimilación del libro, que pueden ser muy diversas dadas las imposiciones puestas por el autor del texto y más aún por el editor del mismo. Así pues, siempre existirá una cierta tensión entre la libertad que tiene toda operación de lectura y la ortodoxia impuesta por sus creadores [64].

— La tercera vía de acercamiento al estudio de los impresos «populares» es el análisis de sus grabados. Grabados que aparecen en la página de título o en frontispicio fuera del texto.

La imagen está muy presente en los pliegos y está ligada al texto por una fuerte proximidad espacial, tiene una relación inmediata puesto que facilita la entrada en la cultura escrita de los analfabetos. Tiene función de protocolo de lectura, propone una interpretación, indica con la vista, con el ojo, el sentido del relato y ayuda a memorizar.

Puede ser al mismo tiempo una representación del texto, una imagen al servicio de la propaganda o una enseñanza religiosa. La imagen es portadora de muchos significados que a veces pueden estar ocultos, dado el gusto por el simbolismo del Barroco.

Puede ser una imagen global, que recoja el sentido total del relato, la más común en los pliegos del siglo XVI y XVII, pero el sentido también puede estar dado por la suma de pequeños grabados, incluidos en un texto discontinuo y fragmentario.

En el siglo XVII la imagen es un instrumento importantísimo de persuasión y su utilización, se inscribe en una teoría de la Imagen y sus funciones; es la representación de las cosas y sus intenciones. La imaginación en el Barroco será la función central de la intelección: los emblemas y las divisas son el punto de partida, las matrices a partir de las cuales se crean imágenes religiosas o políticas. No hay que creer que las capas populares eran incapaces de descifrar ese tipo de mensajes, ya que estaban

---

[64] R. Barthes y M. de Certeaux, «Lire un braconage» en *L'invention du quotidien*, I, Ars de faire, col. 10/18, Paris Union générale de l'édition, 1980, págs. 279-296.

acostumbradas a esa mentalidad barroca y leían los grabados igual que sabían descodificar todos los elementos de una procesión o de una entrada real. Si no poseían todas las claves para su lectura, podían interpretarlas a su manera pues toda imagen tiene varios significados y acepta una lectura plural con diferentes niveles [65].

Hay pues, en el siglo XVII un conocimiento por la imaginación de la imagen codificada o simbólica, mientras que en el siglo XVI o XVIII la imagen simplemente muestra. Se puede decir, que es narrativa.

La imagen puede tener al margen del texto una vida autónoma como objeto ritual, de devoción, como ejercicio de piedad, con una utilización taumatúrgica, de manera que aunque haga parte de un impreso y sea similar a todas las demás, puede cobrar vida propia y pasar a tener para su posesor, más importancia que el texto en sí.

Lo importante en los pliegos de cordel es la relación entre imagen y texto. Esta relación tiene una doble imposición, por un lado técnica y por otro cultural.

Técnicamente las imágenes grabadas sobre madera o xilografías se pueden insertar en el texto con gran libertad de composición, mientras que la imagen grabada sobre cobre o «de talla dulce», a pesar de ser más estética no puede ser insertada en el texto puesto que, hace falta una prensa especial. Así, la imagen sobre cobre tiene que ir siempre en página de título o frontispicio lejos del texto, hay una disociación del proceso de fabricación que a su vez encarece los costes.

El pliego, impreso barato, elegirá por supuesto el proceso más fácil y sacrificará la estética, en favor de la rapidez y baratura (las xilografías eran más baratas porque se reutilizaban).

---

[65] M. Pastoureau, «l'illustration du livre», en *Histoire de l'édition francaise,* op. cit., págs. 501-531.

Pero además, el pliego eligió la xilografía porque ésta permitía la inclusión de la imagen en el texto. Esta será la segunda imposición: cultural. La lectura de una imagen es muy diferente si está cerca del texto o separada. Los significados no son los mismos.

Una imagen próxima es el trampolín para descifrar el texto, es como repetir el significado, machacar su sentido.

Una imagen separada, crea una relación abstracta, más abierta a diferentes interpretaciones, el analfabeto entra más difícilmente en el texto y por lo tanto tiene un menor valor de aculturación. Lo mismo ocurre con una xilografía reutilizada, cuyo sentido no tenga mucho que ver con el texto, en cuyo caso se crean distorsiones del sentido.

Además, no hay que excluir el que el texto compuesto por caracteres variados, dispuestos en columnas y visto en páginas de manera a subrayar la estructura interna del pliego no sea, el mismo, percibido como una imagen o como una serie de imágenes, por un gran número de lectores. El escrito es siempre visual y como tal contribuye a su propia ilustración. No es raro bajo el Antiguo Régimen, que una persona que no sepa leer contemple como una imagen, la página de un libro sin imágenes.

Esto podría ser una hipótesis para explicar, el que los pliegos tuvieran todo tipo de lectores en el siglo XVII, incluyendo a los iletrados, a pesar de la casi desaparición de los grabados de figuras. Aunque también la explicación podría ser el que al quitar la ilustración del libro, se ponga más énfasis en la imaginación y la inventiva: se sacrifica la imagen a la imaginación.

Así pues, según el tipo de grabado y su situación con respecto al texto, se podrá ver a quién estaba dirigido. La mayoría de las imágenes populares en el Antiguo Régimen son religiosas o satíricas, el tema político está bastante poco representado y si lo está, es por medio de la emblemática.

La imagen religiosa al servicio de la fe permite llegar por medio del pliego a un gran número de personas y entre ellos a los iletrados.

La ilustración siempre es un atractivo más, porque valoriza el impreso y propicia el éxito de librería.

En el siglo XVII, edad de oro del frontispicio, desaparecen las imágenes principales y se desarrollan las ornamentaciones accesorias, que decoran y estructuran el texto, ayudando a su lectura y comprensión: las letras ornadas señalan el inicio del texto; las rúbricas ayudan al lector a buscar un pasaje interesante; los párrafos airean el texto para que el ojo pueda descansar, después de una serie demasiado larga de líneas.

Por lo tanto, la imagen o el grabado, son esenciales para comprender cuáles son las intenciones del editor, qué clientela está buscando y al mismo tiempo ver los gustos del lector.

Por medio de estas tres vías de análisis:

— La búsqueda de signos que demuestran la adaptación del texto a una forma tipográfica.

— La búsqueda de elementos de una cultura oral en los textos.

— A partir de la relación imagen-texto, se puede llegar a definir modelos de lectura que pueden ser, según sus características, populares o no.

El género tipográfico de los «pliegos de cordel» reúne tipos de lectura entremezclados: cultos y populares, que hay que diferenciar.

Para ello la única solución yo creo que es el estudio de cada hoja volante como pieza única o bien el estudio de «casos» que ejemplifiquen un modelo de lectura.

Ahora bien, no hay que perder de vista que todo lector, tiene libertad para interpretar de diversas maneras lo que lee. Todo lector es un creador y con su inventiva puede, de una manera original, asimilar un libro. Un impreso no tiene una sola lectura y esto lo puso de manifiesto el historiador C. Ginzbourg, con el molinero que leía libros que pertenecían a una cultura sabia y los interpretaba según sus propios hábitos de lectura [66].

De esto, también se han ocupado R. Barthes y M. de Certeaux [67], afirmando que la lectura es una práctica inventiva, aunque se tiende a encarrilarla por medio de mecanismos implícitos del autor o tipográficos del editor.

Pero el historiador lo que tiene que hacer es pensar modelos de lectura para un grupo dado en un momento dado, crear un modelo de lectura reconocible y que tenga un valor colectivo. Ver las prácticas culturales e intentar comprender cuáles eran los determinantes sociales que las han creado: las generaciones, el sexo, las profesiones.

En el fondo se trata de que el historiador sea capaz de recrear escenas de la vida cotidiana interrogando al objeto en sí, tanto en su materialidad, como en su contenido. Para ello, es necesario el diálogo con los historiadores de la Literatura y del Arte.

Creo que el pliego a pesar de su aparente forma estereotipada y fijada, demostró una gran adaptabilidad y versatilidad, así como una gran riqueza que hizo que el género se adaptara a diferentes categorías intelectuales y psicológicas, para sobrevivir. Lo hizo a lo largo de los siglos, paralelamente a la evolución histórica y social.

Esta frase de Jürgen Habermas me parece muy adecuada para reflejar lo que fue el pliego de cordel: *Dans le domaine trés large de la culture de consommation, ce sont des considerations dicteés par la strategie de vente qui determinent non plus seulement le choix, la diffusion, la*

---

[66] *I fromagio e i vermi,* op. cit.
[67] M. DE CERTEAUX, «Lire un braconage» op. cit.

presentation et le conditionnement des oeuvres, mais aussi leur production en tant que telle [68].

En la evolución del contenido de los pliegos, lo que se ve son desplazamientos de comportamientos, gestos y gustos, de un grupo social a otro. A partir de que un modelo cultural ocupa un nuevo campo social y que uno o varios grupos se lo han apropiado, ese modelo es abandonado por los que fueron sus iniciadores. Esto es válido para la lectura como lo es también para la moda, la cocina, etc.

No se puede ver ya el espacio social como «una escalera; en materia de relaciones de cultura letrada y cultura popular, hay que reemplazar la noción de difusión por la de apropiación y recomposición, tanto en un sentido como en otro» [69].

Sobre todo hay que reconstruir los gestos y las costumbres a partir de los objetos, deducir las conductas. El objeto, el impreso, es la pista útil y operativa, de ahí que haya que volver como primer paso, al sitio donde se encuentran: los archivos y las bibliotecas.

---

[68] J. HABERMAS, *L'espace public. Archeologie de la publicité comme dimension constitutive de la société bourgeoise,* Paris, Payot, 1986, pág. 173.

[69] R. CHARTIER, *Coloque de la casa Velázquez,* op. cit., pág. 168.

Bibliografía

AGUILAR PIÑAL, F.: «Romancero popular del siglo XVIII», *Cuadernos bibliográficos, XXVII*, Madrid, CSIC, 1972.

ARIES, P.: *L'homme devant la mort,*Seuil, Paris, 1977, 2 v.

ARIES, P.: *L'enfant et la vie familiale sous l'Ancien Régime,* Paris, Seuil, 1973.

ARIES, P. y DUBY, G.: Histoire de la vie privée, vol. III, *De la Rennaissance aux Lumiéres,* Paris, Seuil, 1986.

BAHKTINE, M.: *Lœuvre de François Rabelais et la culture populaire au Moye Age et sous la Rennaissance,* Paris, Gallimard, 1969.

BOLLEME, G.: *La Bibliothéque Bleue de Troyes, litérature populaire en France du XVII au XIX,* Paris, Julliard, Archives, 1971.

— Les almanachs populaires aux XVII et XVIII siécles, *Essai d'histoire sociale,* Paris-La Haye, Mouton, 19 - 69.

BOURDIEU, P.: *Ce que parler veut dire, l'économie des échanges linguistiques,* Paris, Fayard, 1982.

CARO BAROJA, J.: *Ensayo sobre la literatura de cordel,* Madrid, Revista de Occidente, 1969.

CERTEAU, M.: «Lire un braconnage», *L'invention du quotidien, I Ars de faire,* Paris Union Générale des éditions, 10/18, 1980.

— «Une culture trés ordinaire», *Esprit,* Oct 1978, págs. 3-26.

CHARTIER, R.: *Lectures et lecteurs sous l'Ancien Régimen en France,* Paris, Seuil, col. l'univers historique, 1987.

— Sous la direction de, *Les usages de l'imprimé,* Paris, Fayard, 1987.

— «Norbert Elias interpréte de l'Histoire occidentale», *Le Débat,* 1980, págs. 138-145.

CHEVALIER, M.: *Lectura y lectores en España en los siglos XVI y XVII,* Madrid, Turner, 1976.

COLLOQUE DE LA CASA VELÁZQUEZ: *Livre et lecture en Espagne et en France sous l'Ancien Régime,* Ed. ADPF, Paris, 1981 (17, 18, 19 Nov. 1980).

COLLOQUE: *Instruction, écriture, lecture en Espagne* (16-19 siécles), Toulouse, 1982, Dact.

COTARELO, E.: *Entremeses, loas, bailes, jácaras y mojigangas,* vols. XVII y XVIII de BAE.

DARNTON, R.: *The business of enlightenment,* Harvard, 1979.

— *Le grand massacre des chats,* Paris Robert Laffont, 1984.

DAVIES, N. Z.: *Les cultures du peuple, rituels, savoirs, et résistances au XVI siécle,* Paris, Aubier-Montaigne, 1979.

DUPORTAL, J.: *Etude des livres á figures édités en France de 1601-1660,* Paris, 1914.

DURAN, A.: *Romancero general,* Madrid, 1849-1851, BAE, 2 vols. X y XVI.

ELIAS, N.: «La civilisation des moeurs», *La dinamique de l'occident,* 2 vols., Paris, Calman-Lévy, 1973.

— *La société de Cour,* Paris, Flamarion, 1985.

FARGE, A.: *Vivre dans la rue à Paris au XVIII siécle,* Gallimar, Julliard, Archives, 1979.

FEBVRE, L. y MARTIN, H. J.: *L'apparition du livre, l'évolution de l'humanité,* Albin Michel, 1958.

FOUCAULT, M.: *Les mots et les choses, une archèologie des sciences humaines,* Paris, 1966.

FURET y OZOUF: *Lire et écrire. L'alphabétisation des français de Calvin à Jules Ferry.* Paris, ed. de Minuit, 1977, 2 v.

GALLARDO, J.: *Ensayo de una biblioteca de libros raros y curiosos.* 4 vols. Madrid, 1863, 65, 88, 89.

GARCÍA DE ENTERRÍA, M. C.: *Sociedad y poesía de cordel en el Barroco.* Madrid, Taurus, 1973.

GINZBOURG, C.: *Les batailles nocturnes,* Paris, Flammarion, 1980.

— *Le fromage et les vers,* Paris, 1980.

— *Enquête sur Piero della Francesca,* Paris, 1983.

— «High and low: the theme of forbidden knowledge in the sixteenth centuries». *Past and present,* num. 73, 1976, págs. 28 a 41.

HABERMAS, J.: *L'éspace public,* Payot, Paris 1986.

JOUHAUD, C.: *Mazarinades, la Fronde des mots.* Paris, Aubier, 1985.

LARQUIE, A.: «L'alphabétisation à Madrid en 1680», Rev. *d'Histoire moderne et contemporaine.* 1981, págs. 132 a 157.

LEROY LADURIE, E., sous la direction de: *Histoire de la France urbaine,* Paris, Seuil, 1981.

MANDROU: *Introduction à la France Moderne, Essai de psichologie historique, 1500-1640,* Paris, Albin Michel, 1961.

— «Le baroque européen: mentalité pathétique et révolution sociale», *Annales,* 1960, pág. 909.

MARAVALL, J. A.: *La cultura del barroco,* Barcelona, Ariel, 1986.

MARCO, J.: *Literatura popular en España en los siglos XVIII y XIX,* Madrid, Taurus, 1977, 2 vol.

MARTIN, H. J.: «Culture écrite et culture orale, culture savante et culture populaire dans la France d'Ancien Régime», *Journal des savants, 1975,* pág. 225-282.

— *Livre, pouvoir et societé a Paris au XVII° siecle 1598-1701,* Géneve, Droz, 1969, 2 vol.

MARTIN, H. J. y CHARTIER, R., sous la direction de: *Histoire de l'édition française,* T. I, *Le livre conquérant du Moyen Age au XVII° siecle,* T. II, *Le livre tiomphant 1660-1830.* Paris, Promodis 1982 y 1984.

MENÉNDEZ PIDAL, R.: *Historia de España,* T. XXVI, *El siglo*

del Quijote, 1580-1680, vol. II, *Las artes y las letras,* Madrid, Espasa Calpe, 1986.
— *Romancero hispánico,* Madrid 1953, Espasa Calpe, 2 vol.
— *El romancero, teorías e investigaciones,* Madrid, ed. Páez.
MANDROU: *De la culture populaire aux XVII° et XVIII° siecles, la Bibliothèque Bleue de Troyes,* Paris, Stock, 1964.

NISSARD, C.: *Histoire des livres populaires ou de la litérature de colportage depuis l'origine de l'imprimerie jusqu'à l'établissement de la commission d'éxamens de livres de colportage,* Paris 1864.

PÉREZ, J.: *Isabelle et Ferdinand, rois catholiques d'Espagne,* Paris, Fayard, 1988.

QUEVEDO, F.: *Sátiras graciosas,* prólogo de M. C. GARCÍA DE ENTERRIA, Comunidad de Madrid 1987.

ROCHE, D.: *La peuple de Paris. Essai sur la culture populaire au XVIII° siecle,* Paris, Aubier Montaigne, 1981.
RODRÍGUEZ, M. C. y BENNASSAR, B.: «Signatures et niveau culturel des témoins et accusés dans les procés d'inquisition du ressort du tribunal de Tolède 1525-1817 ct du ressort du tribunal de Cordoue 1595-1632», *Caravelle n.° 31,* 1978, págs. 19 a 46.

SAENGER, P.: «Silent Reading: its impact on late Medieval script and society», *Viator 13,* 1982.
SEGUIN, J. P.: *L'information périodique en France avant le périodique. 517 canards, imprimés entre 1529 et 1631,* Paris Maisonneuve et la rose, 1964.

TENENTI, A.: *La vie et la mort à travers l'art du XV° siècle,* Paris 1952.

Catálogo de los «pliegos del cordel» de las Bibliotecas Nacional, Mazarina y del Arsenal de París

ABREVIATURAS

Grab: Grabado.
s.l.: sin lugar de impresión.
s.lib.ed.: sin librero editor.
s.a.: sin año de impresión (o SD, sans date).
cols.: columnas
sign.: signatura.
hs.: hojas.
BN: Biblioteca Nacional de París.
Res.: Reserva de la Biblioteca Nacional de París.
B.MAZ.: Biblioteca Mazarina.
B. ARSENAL: Biblioteca del Arsenal.

1

HERMIÑO, JERONIMO DE CALATAYUD

«Aquí comienzan dos romances del Marqués de Mantua,
el primero es de cómo andando perdido por un bosque falló a su sobrino Valdovinos con heridas de muerte
y el segundo la embajada que el Marqués envió al Emperador demandando justicia e otro agora añadido que
es la sentencia que dieron a Carloto fecha por Jeróni-
mo Hermiño de Calatayud.»
(Grab. De un torneo) (s.l., s.lib.ed., s.a.).
Letra: gótica, a 2 cols., sign. ABC, 12 hs.
— «De Mantua salio el Marqués».
PARIS, BN Res Y² 859.

2

ANONIMO

«Cartas y coplas para requerir nuevos amores.»
(Grab. Una mujer y un caballero) (s.l., s.lib.ed., s.a.).
Letra: gótica, a 2 cols., sign. A, 4 hs.
PARIS, BN Res Y² 861.

3

ORTIZ, ANDRES

«Romance nuevamente hecho por Andrés Ortiz en que tra-
tan los amores de Floriseo y de la Reina de Bohemia.»
(Grab. Mujer que escribe a un caballero) (s.l., s.lib.ed.,
s.a.).
Letra: gótica, a 2 cols., sign. A, 4 hs.
— «Quien viese tal ventura».
PARIS, BN, Res Y² 863.

¶Aqui comiençan dos romã
ces del marques de mantua.El primero es de como an
dãdo pdido por vn bosque fallo a su sobrino Baldoui
nos cõ feridas de muerte.y el segũdo la embarada ãel
marques embio al empador demãdando justicia.E o=
tro agora añadido ḡ es la sentẽcia ḡ dierõ a Carloto:fe
cha por Jeronymo tremiño de Calatayud.

De mãtua salio el marḡs   conel van sus caualleros
danes vigel el leal   para auelle de guardar
alla va a buscar la caça   por la ribera del pou
alas orillas del mar   la caça buscando van
conel van sus caçadores   el tiempo era caluroso
con aues para bolar   bispera era de sant juan
conel yuan sus monteros   meten se en vna arboleda
con perros para caçar   para refresco tomar

                                                    A

Romance del «Marqués de Mantua». Pliego n.º 1 del Catálogo.

4

ANONIMO

«Aquí comienzan tres romances glosados y este primero
dice, cautivaronme los mozos y otro a la bella mal ma-
ridada y caminando por mis males con un villancico.»
(Grab. árbol, mujer, viejo, caballero, hombre) (s.l.,
s.lib.ed., s.a.).
Letra: Gótica, a 2 cols., sign. A, 4 hs.
— «En mi juventud pasada».
PARIS, BN Res Y² 864.

5

REYNOSA, RODRIGO DE

«Comienza un razonamiento por coplas en que se contra
hace la germanía, fieros de los rufianes y de las mujeres
del partido: de un rufián llamado Cortaviento y ella
Catalina Torres Altas. Fechas por Rodrigo de Reynosa.»
(Grab. título recuadrado por un motivo) (s.l., s.lib.ed.,
s.a.).
Letra: Gótica, a 2 cols., sign. A, 2 hs.
— «Dice el rufian».
PARIS, BN Res Yg 90.

6

REYNOSA, RODRIGO DE

«Aquí comienzan unas coplas de las comadres Fechas a
ciertas comadres no tocando en las buenas, salvo dejo
de las malas y de sus lenguas y hablar malas y de sus
afeites y de sus aceites y blanduras y de sus trajes y
otros sus tratos. Fechas por Rodrigo de Reynosa.»
(Grab. No) (s.l., s.lib.ed., SD [XVI]).
Letra: Gótica, 2 cols., sign. ABC, 12 hs.
PARIS, BN Res Yg 92.

Romance de «La Bella mal maridada». Pliego n.º 4 del Catálogo.

7

REYNOSA, RODRIGO DE

«Comienzan unas coplas de un parto de una hija de un labrador, cantanse al tono de una amiga tengo hermano, Fechas por Rodrigo de Reynosa.»
(Grab. villa, mujer, hombre) (s.l., s.lib.ed., SD [XVI)].
Letra: Gótica, a 2 cols., sign. A, 2 hs.
PARIS, BN Res Yg 94.

8

ANONIMO

«Aquí comienza un conjuro de amor hecho por Costana con una nao de arroz y otras coplas de unos galanes maldiciendo a una dama.»
(Grab. villa, mujer, hombre, árbol, villa) [s.l., s.lib.ed., SD (XVI)].
Letra: Gótica, A 2 cols., sign. A, 4 hs.
— «La grandeza de mis males».
PARIS, BN Res Yg 95.

9

MANRIQUE, JORGE. JUAN DE AGRAZA

«Aquí comienzan unas coplas de Juan de Agraza a Juan Marmolejo, el cual sabiendo que el dicho Juan Marmolejo era aficionado al vino, le da nuevas como el vino en el año presente era caro. El otro le responde satisfaciendole y diciendo asimismo sus tachas nombres y costumbres.»
(Grab. no) [s.l., s.lib.ed., SD (XVI)].
Letra: Gótica, a 2 cols., sign. A, 4 hs.
— «Mala nueva de la tierra».
PARIS, BN Res Yg 96.

Coplas q̃ hizo don Jorge mã-
rrique ala muerte del maestre de santiago don rodrigo mãrri-
que su padre.

Recuerde el alma dormida
abiue el seso y despierte
contemplando
como se passa la vida
como se viene la muerte
tan callando
quan presto se va el plazer
como despues de acordado
da dolor
como a nuestro parecer
qualquiera tiempo passado
fue mejor.

Y pues vemos lo presente
como en vn punto es ydo
y acabado
si juzgamos sabia mente
daremos lo no venido
por passado

no se engañe nadie no
pensando ha de durar
lo que espera
mas que duro lo que vio
porque todo ha de passar
por tal manera.

Nuestras vidas son los ríos
que van a dar enla mar
que es el morir
alli van los señorios
derechos a se acabar
y consumir
alli los ríos caudales
alli los otros medianos
y mas chicos
allegados son yguales
los que biuen por sus manos
y los ricos.

Inuocacion.

Dexo las inuocaciones
delos famosos poetas
y oradores
no curo de sus ficiones
que traen yerua secreta
sus sabores
aquel solo me encomiendo
aquel solo inuoco yo
de verdad
que eneste mundo biuiendo
el mundo no conoscio
su deydad.

«Coplas de Jorge Manrique». Pliego n.° 10 del Catálogo.

10

MANRIQUE, JORGE

«Coplas que hizó Don Jorge Manrique a la muerte del
maestre de Santiago, don Rodrigo Manrique, su pa-
dre.»
(Grab. Rey, muerte, hombre muerto, hombre que llora)
[s.l., s.lib.ed., SD (XVI)].
Letra: Gótica, a 2 cols., sign. A, 4 hs.
— «Recuerde el alma dormida».
PARIS, BN Res Yg 97.

11

PAREDES, CONDE DE

«Coplas del Conde de Paredes a Juan poeta tornadizo
cuando le cautivaron sobre mar y lo llevaron allende
y como se torno mozo, y otras al mismo Juan Poeta
en una donanza en Valencia y otras coplas de
Montozo.»
[Grab. Un navío, un joven, una ermita, un emblema: Con-
de de Paredes (tiene barras de Aragón)] [s.l., s.lib.ed.,
SD (XVI)].
Letra: Gótica, A 2 cols., sign. A, 4 hs.
— «Si no lo quereis negar».
PARIS, BN Res Yg 98.

12

ANONIMO

«Coplas hechas sobre un caso acontecido en Yerez de la
Frontera de un hombre que mató a 22 personas.»
(Grab. No) [s.l., s.lib.ed., SD (XVI)].

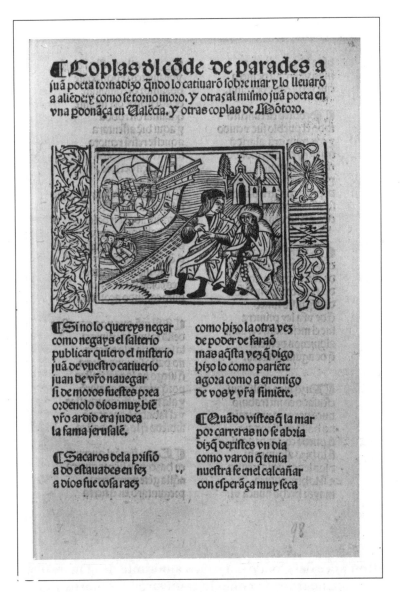

¶ Coplas ōl cōde de parades a
juā poeta tornadizo q̄ndo lo catiuarō sobre mar y lo lleuarō
a alīēde: y como se tornō moro. Y otras al mismo juā poeta en
vna pdonāça en Ualēcia. Y otras coplas de Mōtoro.

¶ Si no lo quereys negar
como negays el salterio
publicar quiero el misterio
juā de vuestro catiuerio
juan de vro nauegar
si de moros fuestes prea
ordenolo dios muy biē
vro ardid era judea
la fama jerusalē.

¶ Sacaros dela prisiō
a do estauades en fez
a dios fue cosa raez

como hizo la otra vez
de poder de faraō
mas aq̄sta vez q̄ digo
hizo lo como pariēte
agora como a enemigo
de vos y vra simiēte.

¶ Quādo vistes q̄ la mar
por carreras no se abria
diz q̄ dexistes vn dia
como varon q̄ tenia
nuestra fe enel calcañar
con esperāça muy seca

«Coplas del Conde de Paredes». Pliego n.º 11 del Catálogo.

—73—

Letra: Gótica, a 2 cols., sign. A, 2 hs.
— «Gentes de todas las naciones».
PARIS, BN Res Yg 99.

13

MONTESINO, FRAY AMBROSIO

«Coplas hechas por Fray Ambrosio Montesinos de la co-
lumna del Señor por ruego de la muy magnifica Seño-
ra Condesa de la Coruña.»
(Grab. El Cristo está atado a la columna y dos hombres
le fustigan) [s.l. s.lib.ed., SD (XVI)].
Letra: Gótica, a 2 cols., sign. A² B, 6 hs.
— «Por grande gloria recibo».
PARIS, BN Res Yg 100.

14

NORMANTE, ALVARO; ALVARO DE SOLANA

«Coplas de la Magdalenica, otra de tambièn Ganadico aña-
didas por Jaques Normante. Otros fieros que hizo un
rufián en Zamora con una puta.»
(Grab. No) [s.l., s.lib.ed., SD (XVI)].
Letra: Gótica, 2 cols, sign. A, 4 hs.
— «También Ganadico».
PARIS, BN Res Yg 101.

15

ANONIMO

«Romance del Conde Guariños almirante de la mar, nuevamente trobado como lo cautivaron los moros y unas
coplas de la Magdalenica.»

(Grab. Letra ornamental) [s.l., s.lib.ed., SD (XVI)].
Letra: Gótica, 2 cols., sign. A, 2 hs.
— «Mal la ouistes franceses
    la caza de Roncesvalles».
PARIS, BN Res imp Yg 86.112, núm. 102.

16

QUIROS, (Metáfora)

«Aquí comienza el romance de Melisenda hija del Emperador y trata de las trayciones y encantamientos que
hizo por amores del Conde Ayuelos con una metáfora
de Quiros hecha a Juan Fernandez de Eredia.»
(Grab. muy bonito, medieval, tres mujeres, un árbol encuadrado por dos casas) [s.l., s.lib.ed., SD (XVI)].
Letra: Gótica, a 2 cols., sign. A, 2 hs.
— «Todas las gentes dormían».
PARIS, BN Res Yg 103.

17

ANONIMO, ENCINA, JUAN DEL, MARQUES DE SANTILLANA

«Romance de un desafio que se hizo en París de todos los
cavalleros de la tabla redonda: los cuales son Monte-
sinos y Oliveros: fue el siguiente desafio por amores
de una dama que se llamaba Aliarda.»
(Grab. Letra ornada) [s.l., s.lib.ed., SD (XVI)].
Letra: Gótica, a 2 cols., sign. A, 4 hs.
— «En las salas de París».
PARIS, BN Res Yg 104.

18

BADAJOZ, GARCISANCHEZ DE

«Infierno de amadores que hizo Garcisanchez de Badajoz.»
(Grab. No) [s.l., s.lib.ed., SD (XVI)].
Letra: Gótica, 2 cols., sign. A, 4 hs.
— «Como en veos me perdí».
PARIS, BN Res Yg 105.

19

BADAJOZ, GARCISANCHEZ DE

«Las maldiciones dichas clara escura del mismo Garcisan-
chez de Badajoz. Comienzan de esta manera.»
(Grab. No) [s.l., s.lib.ed., SD (XVI)].
Letra: Gótica, a 2 cols., sign. A, 2 hs.
— «El día infeliz nocturno».
PARIS, BN Res Yg 106.

20

ENCINA, JUAN DEL

«Berque de amores hecho por Juan del Encina, reques-
tando a una gentíl mujer.»
(Grab. No) [s.l., s.lib.ed., SD (XVI)].
Letra: Gótica, a 2 cols., sign. A, 2 hs.
— «Dezio vida de mi vida».
PARIS, BN Res Yg 107.

21

TOZO, ALVARO DE

«Disparates contrarios de los de Juan del Encina fechos
por Alvaro de Tozo.»

«Los gozos de Nuestra Señora». Pliego n.º 23 del Catálogo.

(Grab. No) [s.l., s.lib.ed., SD (XVI)].
Letra: Gótica, a 2 cols., sign. A, 2 hs.
— «Llevaron un convidado».
PARIS, BN Res Yg 107 Bis.

22

ENCINA, JERONIMO DEL

«Testamento de la reyna doña Isabel nuevamente troba-
do por Jeronimo del Encina.»
(Grab. No) [s.l., s.lib.ed., SD (XVI)].
Letra: Gótica, 2 cols., sign. A, 2 hs.
— «Después que el Rey Rodrigo».
PARIS, BN Yg Res 108.

23

MENDOZA, FRAY IÑIGO DE

«Los gozos de nuestra señora la Virgen María compues-
tos por Fray Iñigo de Mendoza.»
(Grab. Virgen y cuatro ángeles, encuadrado, gótico, Co-
ronación de la Virgen, Anunciación de la Virgen) [s.l.,
s.lib.ed., SD (XVI)].
Letra: Gótica, 2 cols., sign. A, 4 hs.
— «Emperatriz de los dos».
PARIS, BN Res Yg 109.

24

SAMPEDRO, DIEGO DE

«Las siete Angustias de Nuestra Señora la Virgen María
fechas por Diego de Sampedro.»

«Relación de lo que ha passado». Pliego n.º 26 del Catálogo.

(Grab. Descendimiento de Cristo) [s.l., s.lib.ed., SD
    (XVI)].
Letra: Gótica, 2 cols., sign. A, 4 hs.
— «Virgen digna de alabanza».
PARIS, BN Res Yg 110.

25

ANONIMO

«Coplas hechas a la Natividad de Nuestro Señor Jesucris-
    to: nuevamente hechas.»
(Grab. No) [s.l., s.lib.ed., SD (XVI)].
Letra: Gótica, 2 cols., sign. A, 2 hs.
— «Venida es venida».
PARIS, BN Res Yg 111.

26

ANONIMO

«Relación de lo que ha pasado en la corte de Su Majestad
    el Emperador Nuestro Señor y su ejército y las con-
    quistas del estado de Gueldres hasta llegar a los confi-
    nes de Francia este año de 1543.»

(Grab. Escudo imperial español con un águila bicéfala y
    leyenda Plus Ultra, muy bonito encuadrado por ange-
    lotes y bufones) (s.1., s.lib.,ed., 1543).

Letra: Gótica, sign. A²B, 7 hs.
PARIS, BN Oi 66.

27

LOPE DE FIGUEROA

«Hizo esta relación al illustrísimo embaxador Don Joan de Zuñiga el maestro de Campo Don Lope de Figueroa passando por Roma por mandato de su Alteza, a su Majestad.»

«Relación de la iornada succedida a los siete del mes de Octubre mil quinientos setenta y uno.»

(Grab. muy interesante. El Papa sobre su trono, a un lado el Emperador con un águila imperial y al otro un Rey con un león alado. Encuadrado en madera) (Roma, por los herederos de Antonio Blado, impresores camerales, 1571 MDLXXI).

Letra: Gótica, sign. A, in 4.°, 4 hs.

PARIS, BMAZ inc. 1289 *RECEUIL DU XV* / 10 piece.

28

ANONIMO

«Relación de la entrada de la sacra católica real Majestad de la Reina Nuestra Señora en España. Embiada al muy ilustre señor Don Juan de Urrea, gobernador de Aragón. Con los recibimientos que se han hecho en Roncesvalles, Pamplona y Olite y Tudela y otras cosas memorables acontecidas en España.»

(Grab. Escudo Imperial, con las águilas bicéfalas) (Imprenta de Alcalá de Henares, en casa de Juan de Brocar, véndese en casa de Xaramillo, librero enfrente al colegio mayor, posterior a 1559).

Letra: Gótica, sign. AB, 8 hs.

PARIS, BN Oc 204 (1) *Miscelánea histórica española.*
Bn Oc (4) es igual.

29

REYNOSA, RODRIGO DE

«Comienza un tratado hecho por coplas sobre que una señora envió a pedir por merced al autor que las hizo que pués estava de parto le enviase algún remedio el cual responde por coplas. Iban se de cantar altono de recemos beatus vir. El cual autor es llamado Rodrigo de Reynosa.»

(Grab. Una mujer, dos hombres, uno es un caballero con espada) [s.l., s.lib.ed., SD (XVI)].

Sign. A, 2 hs.

PARIS, BN Res Yg 91.

30

ANONIMO

«Coplas hechas sobre la passión de Nuestro Señor Jesucristo.»

(Grab. Muy bonito, gótico, la pasión de Jesucristo, al final la muerte con una leyenda) [s.l., s.lib.ed., SD (XVI)].

A 2 cols., sign. A, 2 hs.

— «El Rey de la gloria».

PARIS, BN Res Yg 112.

31

ANONIMO

«Quatro romances viejos del Marqués de Mantua: el primero cuenta como andando el Marqués de Mantua perdido por el bosque halló a su sobrino Valdovinos con heridas de muerte. El segundo, la embajada del Marqués de Mantua envió al emperador demandándose justicia. El tercero la sentencia que le dieron a Carloto por la muerte de Valdovinos. El quarto y último es el de las obsequias que hicieron en la sepultura de Valdovinos.»

(Grab. Arbol, dos hombres a caballo enfrentados: torneo,
castillo letra ornada) (Valencia, en casa de Alvaro Franco a la Pelleria vieja, 1597).
A 2 cols., sign. AB²C, 10 hs.
— «De Mantua sale el Marqués».
PARIS, Bn Res Yg 114-119.
6 pliegos du régne de Philipe II, fin XVI reliés ensem-
ble. Celui-ci núm. 114.

32

ANONIMO

«Romance de Don Gayferos, el cual trata de como sacó
a su esposa de tierra de Moros y sus grandes azañas.»
(Grab. Hombre con lanza, Rey, mujer, hombre a caba-
llo) [Valencia, impreso en casa de Alvaro Franco, en
este presente año, SD (XVI)].
A 2 cols., sign. A, 4 hs.
— «Asentado esta Gayferos».
PARIS, BN Res Yg 115.

33

ANONIMO

«Copia di una lettera del signore secretario de ll'illustrisi-
mo signore fio Andre D'Oria. Con il vero disegno del
luogo dove e seguita la giornata, che fu il di de S. Marco
Papa et censu il di 7 di octtobre 1571 40 miglia sopra
Lepanto.»
(Grab. Escudo, letra ornada. Batalla de Lepanto con un
mapa) (s.1., s.lib.ed., s.a.).
Sign. A, 4 hs.
PARIS, B MAZ inc 1289 *Receuil du XVˢ/* 11 piece.

34

HORTA, MELCHIOR

«Obra nueva de muy excelentes avisos y consejos para un
mancebo que se quiera casar avisandole cómo se a de
dirigir antes y después de pasado. Son consejos muy
heroicos y en ellos hallará infinitos refranes.»
(Grab. Un caballero, dama) (Barcelona, impresa en casa
de Sebastian de Cormellas al call. 1597).
A 2 cols., sign. A, 2 hs.
PARIS, BN Res Yg 116.

35

BRAVO, CHRISTOVAL

Agora nuevamente compuesta por Christoval Bravo vezi-
no y natural de la ciudad de Cordova.
«Aqui comienza una obra muy gustosa la cual trata de un
testamento que hizo una zorra mandando y repartien-
do sus bienes a sus hijos y herederos.»
(Grab. Caballero, ciudad, hombre en la ventana, mujer
con una flor) (Barcelona, impresa en casa de Sebas-
tián de Cornellas al Call, 1597).
A 2 cols., sign. A, 4 hs.
— «Yo zorra triste cuitada».
PARIS, BN Res Yg 117.

36

ANONIMO

«Romance a las obsequias funerales que la insigne ciudad
de Zaragoza hizo a la muerte del Rey Don Phelipe
Nuestro Señor. En el cual se declara la orden que llevaron los consejos, Iusticia y jurados y las demás pa-
rroquias. Y allarse ha algunos sonetos de los más escogidos que para este efecto se hicieron. Y también alla-
ran las ingeniosas y artificiosas letras que en el colegio
mayor de la Universidad de Alcalá de Henares se hicieron en la muerte del Rey Nuestro Señor.»

«Aqui comienza una obra muy gustosa». Pliego n.º 35 del Catálogo.

(Grab. Escudo Real encuadernado de florones. La muerte) (Zaragoza, por Juan Pérez de Valdevieso, a costa de Iacomo Balde. Vendese en la Diputación, 1598).
Sign.A, 4 hs.
PARIS, BN Res Yg 118.

37

LEDESMA, FRANCISCO. IOAN DE LAGUNA

«Documentos de crianza compuestos por Francisco Ledesma con algunas reglas de bien vivir hechas por Ioan de Laguna. Agora nuevamente corregidas y enumeradas y añadido un romance de la pasión muy contemplativo y unos tercetos de la vida de Jesús y María.»
(Grab. La Virgen María y el niño Jesús encuadrados) (Zaragoza, Impreso en casa de Miguel Fortuño Sánchez, Acostade Iacomo Balde véndese en la diputación, 1599).
A cols., sign. A², 4 hs.
PARIS, BN Res Yg 199.

38

ANONIMO

«La historia del noble cavallero, muy valiente y esforzado Clamades hijo de Marcaditas Rey de Castilla y de la linda Claramonda hija del Rey de Toscana.»
(Grab. Hombre armado a caballo, una dama. Caballero armado al final) (Alcalá, en casa de Juan Gracian que esté en gloria, 1603).
Sign. ABCDE, 20 hs.
PARIS, BN Res Y² 827.

39

ANONIMO

«El gran Capitán suma de la conquista del reyno de Nápoles conquistado por el Capitán Gonzalo Fernández, del Rey Don Fernando, El Quinto nuestro Señor.»

(Grab. Un caballero a caballo) (Alcalá, en casa de Juan
Gracian que sea en Gloria, 1604).
Sign. ABCDE, 20 hs.
PARIS, BN Res Y² 825.

40

ANONIMO

«Historia de Flores y Blancaflor.»
(Grab. Una dama, un hombre con la guitarra encuadra-
dos con grutescos, el mismo caballero) (Alcalá de He-
nares, en casa de Juan Gracián que sea en gloria, 1604).
Sign. ABCDEFG, 28 hs.
PARIS, BN Res, Y² 822.

41

ANONIMO

«La historia del noble cavallero el Conde Fernán Gonza-
lez con la muerte de los siete infantes de Lara.»
(Grab. dos hombres armados se enfrentan, un hombre a
caballo persigue a un ciervo) (Alcalá, en casa de Juan
Gracian que sea en Gloria, 1605).
Sign. ABCDE, 20 hs.
PARIS, BN Res Y² 826.

42

RIAÑO, PEDRO DE

«Romance del Conde Alarcos y de la infanta Solisa Fe-
cho por Pedro de Riaño. Otro romance del Amadis que
dice después que el esforzado.»
(Grab. Dos hombres, Rey y Reina) (s.l., s.lib.ed., s.a.).
A 2 cols., sign. A, 4 hs. Letra: gótica.
— «Retraida está la infanta».
PARIS, BN Res Y² 862.

43

ANONIMO

«Historia de la sabia doncella Leonor.»

(Grab. Hombre, mujer, turco, los mismos, dos grabados
   ilegibles, cada capítulo una madera, un horóscopo, madera final: un escudo con un león trepando) (Alcalá,
   En casa de Juan Gracián, 1607).

Sign. ABCD, 16 hs.

PARIS, BN Res Y² 825.

44

ENCINA, JUAN DEL

«Romance del mozo Celainos de como quiere amores de
   la infanta Sibilla y ella le demando en arras tres cabe-
   zas de los doce pares.»

(Grab. Dos mujeres, un hombre que lee una carta) (s.l.,
   s.lib.ed., s.a.).

A 2 cols., sign. A, 4 hs.

— «Ya cabalga Celainos».

PARIS, BN Res Y² 865.

45

Compuesto por ADRADA, PEDRO DE. Natural de Bilbao

«Admirables prodigios y portentos, que se manifestaron
   en Bayona de Francia este presente año, a donde entre
   los más señalados nació un niño con treinta y tres ojos
   naturales y perfectos en orden y compás divididos por
   todo su cuerpo, el cual vivió treinta y tres días y habló
   tres veces, palabras de mucho ejemplo. Dase cuenta
   de quien eran sus padres, los cuales murieron de im-
   proviso y fueron conocidos por ser cristianos por una
   protestación de Fé que les hallaron en el pecho firmada de sus nombres. Lleva un romance de las grande-

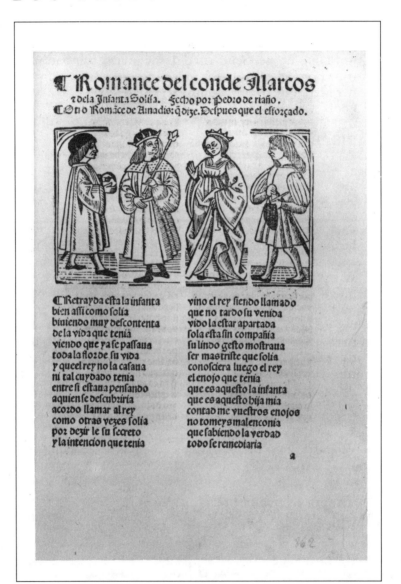

«Romance del Conde Alarcos». Pliego n.º 42 del Catálogo.

zas de la Corte y jornada del Rey nuestro señor, com-
puesto por Pedro Adrada natural de Bilbao.»
(Grab. Un niño pequeño visto desde arriba tumbado con
   ojos por todos los lados, encuadrado) (Baeza, por los
   herederos de Juan Montoya, 1612).
A 2 cols., sign. A, 4 hs.
— «El signo León hospeda».
PARIS, BN Res p Yg 31.

46

Compuesto por REXO, MIGUEL.
Vecino de la ciudad de Burgos

«Relación muy verdadera que trata de la jornada que ha
   hecho el cristianísimo Rey de Francia, desde la ciudad
   de París que es el asiento de su Corte, con la reyna,
   su madre y la serenísima Princesa de España, su her-
   mana y Señora Nuestra, acompañada con mucha pom-
   pa y grandeza de infinitos príncipes cavalleros y señores de la ciudad de Burdeos donde queda esperando
   para celebrar sus bodas que se hacen para tanto bien
   de la cristiandad. Con un romance a la postre del sen-
   timiento grande, que hizó la villa de madrid y Corte
   de Su Majestad el día que se despidió de sus conven-
   tos de monjas para ir a ser Reyna de Francia, que Dios
   guarde y prospere muchos años.»
(Grab. Escudo Real español, flor de lis con una I y una
   M a cada lado) (Barcelona, por Gabriel Graells y Es-
   teban, libreros, s.a.).
A 3 cols., sign. A, 2 hs.
— «Agora es tiempo mi pluma».
PARIS, BN Res Yg 26.

47

ANONIMO

«Relación verdadera del riguroso martirio que dieron al
   guardian de San Francisco a la ciudad de Constanti-

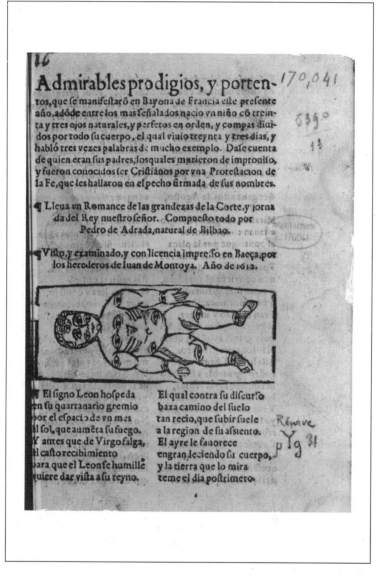

«Admirables prodigios». Pliego n.º 45 del Catálogo.

«Relación muy verdadera». Pliego n.º 46 del Catálogo.

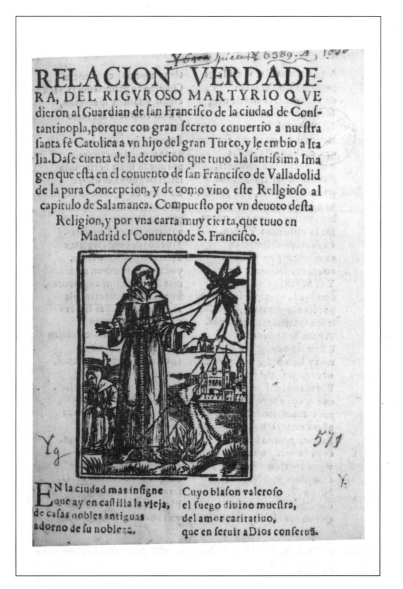

«Relación verdadera del riguroso». Pliego n.º 47 del Catálogo.

nopla porque con gran secreto convirtio a nuestra Santa Fe Católica a un hijo del Gran Turco y le envió a Italia, dase cuenta de la devoción que tuvo a la Santísima Imagen que esta en el convento de Valladolid de la Pura Concepción y de como vino este religioso al capítulo de Salamanca. Compuesto por un devoto desta religión y por una carta muy cierta que tuvo en Madrid el convento de San Francisco.»

(Grab. Monje franciscano, un paisaje: el bósforo, un hombre detrás de rodillas; el hijo del Gran Turco, tiene una paloma encima; La Purísima Concepción) (Lisboa, por Antonio Alvarez, 1620).

Sign. A², 4 hs.

Primer romance: —«En la ciudad más insigne».

Segundo romance: —«Llegó a la ciudad famosa».

PARIS, BN Yg 571.

48

RODRIGUEZ, JORGE

«Relación en que se trata de una estatua y de un cavallo de bronce que ha enviado la santidad de Gregorio XV agora presidente en la Iglesia de Dios, al cristianísimo Rey de Francia que se ha visto y a portado junto al monasterio de Belén, cercano a la ciudad de Lisboa, en un bajel de levante. Tratase, como fue hecha y a quien dedicada la estatua y cómo fue soterrada y descubierta por revelación de Santo Isidro y de las letras que se hallaron con ella que es la razón porque el Papa la embia.»

(Grab. Caballo) (Lisboa, Moniz de Mello, 1622).

A 2 cols., sign. A, 4 hs.

— «En tiempo que el Duque Carlos».

PARIS, BN Yg 3524.

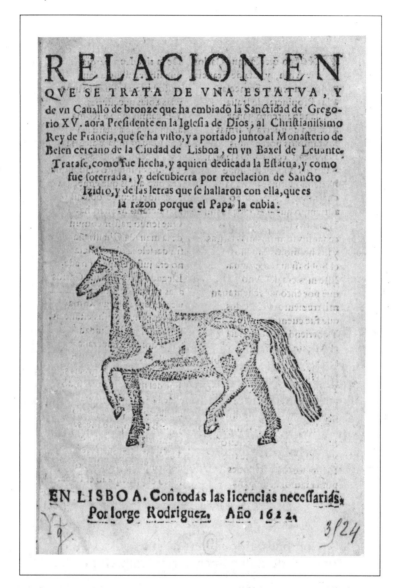

«Relación en que se trata de una estatua». Pliego n.° 48 del Catálogo.

49

Compuesta por PEÑA, Dr. IVAN ANTONIO DE LA,
natural de Madrid

«Relación de las fiestas reales y juego de cañas, la Majestad Católica del Rey Nuestro Señor hizo a los 21 de Agosto deste presente año para honrar y festejar los tratados desposorios del Serenísimo Príncipe de Gales con la Serenísima Infanta Doña María de Austria.»
(Grab. Letra ornada) (Madrid, por Juan González, 1623).
Sign. AB in folio, 4 hs.
PARIS, BN Res Fol Oa 198 bis (2) núm. 4.
        BN Res Oc 361.

50

LOPEZ DE AGUILAR Y MONTENEGRO, DOMINGO

«Relación verdadera de la procesión y solemnes fiestas que se celebraron en Roma a la elección del nuevo pontifice nuestro muy Santo Padre Urbano VIII. Dase cuenta de los cargos que tuvo antes de que se le diese la silla del pontificado, traducida de lengua toscana a la española.»
(Grab. No) (Madrid, por Diego Flamenco, 1623).
Sign. A in folio, 2 hs.
PARIS, BN Res Fol Oa 198 bis (2) núm. 5.

51

Compuesta por ESPINO, JERONIMO DE,
natural de Salamanca y residente en Sevilla

«Entrada del catolicismo Monarca de España Felipe IV en la muy noble y leal ciudad de Sevilla viernes prime-

ro de Marzo de 1624. Dase cuenta de la disposición
de la ciudad, orden de la milicia, número de compa-
ñías, nombre de los capitanes, puestos y sitios a que
asistieron. Y de los fuegos que Sabado, Domingo y Lunes huvo y la máscara deste día.»
(Grab. No) (Impreso en Sevilla, por Juan de Escobar junto al poco Santo, 1624).
Sign. A, 4 hs.
PARIS, BN Oc 204 (7).

52

ANONIMO

«Relación breve y verdadera de las fiestas reales de toros
y cañas que se hicieron en la plaza de Madrid, Lunes
que se contaron, veintiuno de Agosto por la solemni-
dad de los casamientos de los serenísimos Señores Príncipe de Gales y la Señora Infanta Doña María de Austria.»
(Grab. Letra Ornada) (s.1., s.lib.ed., s.a.).
Sign. A in folio, 2 hs.
PARIS, BN Res fol Oa 198 (bis) 2, núm. 3.
          BN Oc 362.

53

ANONIMO

«Relación de las cosas notables que han sucedido siempre
que se han teñido la milagrosa campana de Vililla que
está en el reino de Aragón. Sacada de los Anales que
ha escrito el muy ilustre señor doctor D. Martín Cari-
llo Abad de la Real casa de Montaragon en el año 1435,
y folio 354.»

(Grab. Letra ornada) (Huesca, por Pedro Blusón, impresor de la Universidad, 1625).
Sign. A folio, 2 hs.
PARIS, BN Res Fol Oa 189 bis (2), núm. 34.
    BN 01 413.

54

ANONIMO

«Relacion verdadera en que se da cuenta de la coronación del nuevo Rey de Hungria Fernando tercero de este nombre y las fiestas y sarraos que se hicieron y ceremonias con que le coronaron por su Rey y Señor.»
(Grab. Letra ornada) (Madrid, en casa de Bernardino de Guzmán, 1626).
Sign. A folio, 2 hs.
PARIS, Bn Res Fol Oa 198 bis (2), núm. 15.

55

ANONIMO

«Relación de la batalla que Nuño Alvarez Botelló tuvo con las armadas de Olanda y Inglaterra en el estrecho de Ormuz. De que vino aviso en 20 de Febrero deste año de 1626.»
(Grab. Letra ornada) (Madrid, en casa de Bernardino Guzman, 1626).
Sign. A in folio, 2 hs.
PARIS, Bn Res Fol Oa 198 bis (2), núm. 13.
    Bn Oi 191.

56

ANONIMO

«Aquí se contiene seys romances del Cid Ruy Diaz de Vivar. El primero cuydando Diego Laynes. El segundo,

«Aquí se contienen seys romances del Cid». Pliego n.º 56 del Catálogo.

consolando al noble viejo. El tercero, en los solares de
Burgos. El quarto, pidiendo a las díez del día. El quin-
to, victorioso vuelve el Cid. El sexto, el Vasallo des-
leal. Agora nuevamente.»
(Grab. Los hombres enfrentados, están vestidos al estilo
de los tercios españoles. Motivos tipográficos) (Valla-
dolid, por la viuda de Francisco de Córdova, 1627).
Sign. A, a 2 cols., 4 hs.
PARIS, B Arsenal 4.º BL 4468 *Histoire du caballero Ruy
Diaz de Vivar* (piece núm. 2).

57

ARCEO

«Relación verdadera de todo lo sucedido en el Pardo en
la Real montería de Su Majestad.»
(Grab No) (s.l., impresa en casa de Bernardino de Guzmán, 1627).
PARIS, BN Res Fol Oa 198 bis (2), núm. 15.
    Bn Oc 383.

58

ANONIMO

«Relación verdadera de las Famosas fiestas que en presencia de Su Majestad se han hecho en la insigne ciudad de Barcelona. Insignes aparatos, fiestas majestuo-
sas, célebres triunfos, generosos efectos, de la lealtad
catalana descrivo, si puede ser objeto tanto reducirse
a tan limitado término, como al de un pliego y cuando
no servira el empendello de muestras de mi deseo de
intentarlo, que en cosas grandes, aver querido basta.»
(Grab. No) (Madrid, por herederos de Diego Flamenco,
1632).
Sign. A²B, 6 hs.
PARIS, BN Oc 1640.

59

ANONIMO

«Relación de varias cosas y provisiones así de España como de Italia, Alemania, Francia, Flandes y otras partes.»
(Grab. No) (s.l., s.lib.ed., 1634).
Sign. AB in folio, 4 hs.
PARIS, BN Fol, Res Oa 198 Tl núm. 74.
        BN Oc 337.

60

ANONIMO

«Relación de la presa inexpugnable plaza y fortaleza de Shinchen en la provincia de Gueldres, llave de Olanda. Contiene el modo de conquistarla que ha tenido el exercito del Serenísimo Señor Infante Cardenal.»
(Grab. Escudo Real) (s.l., por los herederos de la viuda de Pedro Madrigal, a costa de Pedro Coello mercader de libros, 1635).
Sign. A, 4 hs.
PARIS, BN Oi 197 (41).

61

ANONIMO

«Sucesos de las armas de Francia deste año de 1635 en el sitio de Valencia del Poo plaza del estado de Milán.»
(Grab. Ornamentos tipográficos, letra ornada) (Madrid, por los herederos de la viuda de Pedro Madrigal, 1635).
Sign. AB, 8 hs.
PARIS, BN Oi 197 (42).

62

ANONIMO

«Copia de los avisos embiados de Flandes al Excelentísimo señor Marqués de Balparayso Virrey y capitán general del reyno de Navarra y sus fronteras, de lo sucedido en aquellos estados y en Alemania hasta 2 de Septiembre deste años de 1635.»

(Grab. Escudo Real, letra ornada) (Madrid, por la viuda de Juan Gonzalez. 1635).

Sign. A, 4 hs.

PARIS, BN Oi 197 (43).

63

ANONIMO

«Relación de las fiestas que a tres, cuatro, cinco de Febrero de este año 1638 hicieron Su Alteza el Señor Infante Cardenal, los señores Carlos, Duque de Lorena y el Príncipe Tomás de Saboya con el Conde Picolomini, Maese de Campo General del Cesar en Bruselas, en gracia de las muchas victorias que su Alteza tuvo el año pasado de 1635.»

(Grab. Angelote) (Madrid, por la viuda de Juan González, 1636).

Sign. AB, 8 hs.

PARIS, BN Oc 204 (8).

64

ANONIMO

«Sucesos y victorias de las católicas armas españolas e imperiales en Francia y otras provincias desde 22 de junio de este año hasta 20 de Agosto del mismo de 1636.»

(Grab. Escudo Real, letra ornada) (Madrid, en la imprenta del reino. A costa del librero Alfonso Reyes, librero de su Magestad. Vendese en su casa en la calle de Santiago. Está tasado a 6 maravedis cada pliego, 1636).
Sign ABC²D, 14 hs.
PARIS, BN Oi 197 (46).

65

Por el licenciado SANCHEZ DEL ESPEJO, ANDRES.
Presbítero

«Relación aiustada en lo posible, al verdad y repartida en dos discursos. El primero, de la entrada en estos reynos de Madama María de Borbón, Princesa de Cariñan. El segundo, de las fiestas que se celebraron en el Real Palacio del Buen Retiro a la elección del Rey de Romanos.»
(Grab. Escudo con una flor de lis) (Madrid, por María de Quiñones, 1637).
Sign. ABCDEF², F, 26 hs.
PARIS, BN Oc 1640.

66

ANONIMO

«Relación de los actos militares que en la ciudad de Barcelona exercito parte de sus compañias, domingo 18 de abril 1638, hecha por un sargento de los que asistieron con su compañia.»
(Grab. Siguese la planta de ambos escuadrones: Grabado) (s.l., por Gabriel Nogués de la calle de Santo Domingo, 1638).
Sign. A, 4 hs.
PARIS, BN Oc 204 (9).

67

ANONIMO

«Relacion verdadera de un caso admirable y ejemplar que sucedió en la villa de Alcoy, en el reino de Valencia con un francés, este presente año: el cual con poco temor de Dios, entró en la iglesia parroquial y robó del sagrario el Santísimo Sacramento y otras reliquias. Dase cuenta del modo en que se descubrió y el castigo que le dieron.»

(Grab. No) (Madrid, por la viuda de Juan Gonzalez, 1638).
Sign. A, 4 hs.
PARIS, BN 01 176.

68

ANONIMO

«Relación de las presas que los vajeles y fragatas de la Real Armada de Dunkerque y navios particulares hicieron en las costas de Francia, Inglaterra y otras desde el 1.º de Mayo hasta último de Diciembre del año pasado de 1638.»

(Grab. No) (Madrid, por Diego Diaz, 1639).
Sign. A, 2 hs.
PARIS, BN Oi 197. *Relaciones diversas* (1).

69

AMBRUNO, GUILLERMO

«Verdadera relación y carta nueva de un traslado que envio a esta Corte un mercader de la ciudad de Lisboa llamado Guillermo Ambruno a un cavallero recientemente en esta corte dandole cuenta de una gran victo-

34   *1638*

RELACION VERDADE

ra, de vn caſo admirable y exemplar
que ſucediò en la villa de Alcoy, en el
Reino de Valencia con vn Frances, eſte
preſente año: el qual con poco temor
de Dios entrò en la Igleſia Parroquial,
y robò del Sagrario el Santiſsimo Sacramento, y otras Reliquias. Daſe
cuenta del modo con que ſe deſ-
cubriò, y el caſtigo que le
dieron,

597

ESTE preſente año de 1638. ſucediò en Alcoy, villa principal del Reino de Valencia,
que eſtando en la Igleſia Mayor el Cura y
algunos Clerigos, fue oydo vn terremoto en aquella Igleſia, en toda la villa, y en los lugares y pueblos circunuezinos, y tieneſe por cierto que à la
ſazon vn hombre Frances determinò de cometer
la maldad que luego veremos, porque a eſte tiempo le vierò paſſar por el cimiterio y por las puer-
tas de la Igleſia para poner por obra lo q̃ auia pen
ſado. El Retor y Clerigos ſalieron de la Igleſia, y
dicho Frances llamado Iuan Frates, caſado y ve-
zino en aquel pueblo vn poquito antes de anoche-

OL
176

A   zer

«Relación verdadera de un caso admirable». Pliego n.º 67 del Catálogo.

ria y batalla que han tenido nueve urcas flamencas contra diez y seis velas de enemigo.»
(Grab. No) (Madrid, por Antonio Duplastre, 1639).
Sign. A, 2 hs.
PARIS, BN Oi 197 (5).

70

ANONIMO

«Traslado de una compendiosa relación, que fue escrita de Milán a un señor de esta Corte, de las gloriosas victorias que ha tenido el excelentísimo Señor Marqués de Leganés en el dicho estado contra las armas de Francia y coligados.»
(Grab. Letra ornada) (Madrid, por Horacio Ponsabien, por la viuda de Juan González. 1638).
Sign. A², 3 hs.
PARIS, BN Oi 197 (47).

71

ANONIMO

«Relación de la victoria que alcanzaron las armas Católicas en la baia de todos los Santos contra los olandeses que fueron a sitiar aquella plaza en 14 de Junio de 1638, siendo governador del estadode Brasil Pedro de Silva.»
(Grab. Escudo Real, letra ornada) (Madrid, Francisco Martínez. 1638).
Sign. A²B, 6 hs.
PARIS, Bn Oi 197 (48).
         BN Ow 21 (in 4.°).

72

ANONIMO

«Relación verdadera de la refriega que tuvieron nuestros
galeones de la plata en el cabo de San Antón con 14
navios de Olanda que eran general pie de palo y la victoria que de ellos alcanzaron sucedio el mes de Agosto
passado deste presente año de 1638.»
(Grab. Letra ornada) (Madrid, por Diego Diaz de la Carrera, 1638).
Sign. A, 2 hs.
PARIS, BN Oi 187 (50).

73

ANONIMO

«Relación de la refriega que tuvo con 14 navios turcos a
la vista de Tarifa y Tanger el capitan don Luis del Campo, teniente general de Artillería de la Armada Real
que iva a Levante a cargo del general Roque Centeno
con su navio sólo llamado Sansón.»
(Grab. Letra ornada) (s.l., por Diego Diaz de la Carrera,
1638).
Sign. A, 2 hs.
PARIS, BN Oi 197 (51).

74

ANONIMO

«Breve y ajustada relación de lo sucedido en España, Flandes, Alemania, Italia, Francia y otras partes de Europa desde fin de Febrero de 1637 hasta el mes de Diciembre de 1638.»

(Grab. No) (s.l., s.lib.ed., 1638).
Sign. AB, 4 hs.
PARIS, BN Oi 197 (28).

75

ANONIMO

«Efectos de las armas españolas del Rey Católico nuestro
señor en Flandes contra los ejércitos de Francia y Ho-
landa en la campaña de este año de 1638.»
(Grab. Escudo Real, muy bonito) (Madrid, en la imprenta del reino. Esta tasada a 6 maravedis cada pliego,
vendese en casa de Alonso Pérez librero de Su Majestad a la entrada de la calle de Santiago, 1638).
Sign. ABC, 12 hs.
PARIS, BN Oi 197 (27).

76

ANONIMO

«Relacion verdadera de todo lo sucedido el día del bautis-
mo de la Serenísima Infanta de España.»
(Grab. Letra ornada) (Madrid, por María de Quiñones,
1638).
Sign. A², 4 hs.
PARIS, BN Oi 197 (30).

77

Padre CRISTOBAL, escudero de la
Compañía de Jesús

«Segunda relación de 14 de Septiembre de este presente
año escrita por el padre Cristobal, escudero de la Com-

pañia de Jesús, al señor Arzobispo de Burgos en que
da cuenta de la feliz victoria de Nuestro Señor, ha sido servido dar al Almirante de Castilla General, del
ejército de España contra el Rey de Francia en la villa
de Fuente Rabía. Es obra hecha de la mano de Dios,
milagro grande que obró con nosotros.»
(Grab. Letra ornada) (Madrid, por la viuda de Alonso
   Martín, 1638).
Sign. A sin folio, 2 hs.
PARIS, BN Oi 197 (31).

78

ANONIMO

«Relación y traslado bien y felizmente sacado de una car-
ta enviada a la corte y tiene por argumento: la sombra
de Mos de la Forza aparece a Gustavo Horn preso en
Viena y le cuenta el lastimoso suceso que tuvieron las
armas de Francia en Fuente Rabía.»
(Grab. No) (Madrid, Diego Díaz de la Carrera, 1638).
Sign. A in folio, 2 hs.
PARIS, BN Oi 197 (32).

79

ANONIMO

«Prodigioso volcán de fuego que exala en medio del mar
océano enfrente de la isla de San Miguel una de las ter-
ceras y nueva isla que se ha formado. Tuvo principio
a tres de Julio de este presente año de 1638.»
(Grab. Demostración del volcán: 2 maderas grandes con
letras explicativas muy técnico y raro) (Madrid, en la
imprenta de Francisco Martínez, 1638).
Sign. A in folio, 2 hs.
PARIS, BN Oi 197 (52).

80

MUÑOZ, BERNARDO, artillero de Su Majestad

«Relación verdadera y carta nueva de un traslado del Brasil
por un artillero de Su Majestad, llamado Bernardo Muñoz a un hijo suyo dandole cuenta de la gran victoria
que las armas católicas han tenido sin pensar, en el sitio del Brasil a 29 de Noviembre del año 1638 y fue
de esta manera.»
(Grab. Letra ornada) (Madrid, Antonio Duplastre, 1639).
Sign. A, 2 hs.
PARIS, BN Oi 197 (53).

81

FONTPEDROSA, HIERONYMO

«Amorosos desagravios de Jeschristo sacramentado en la
insigne y fidelísima ciudad de Barcelona y Otava del
Corpus reiterada.»
(Grab. Cristo sobre la cruz encuadrado, letra ornada, mo-
tivos tipográficos) (Barcelona, en la imprenta de Iau-
me Romeu delante Santiago, 1640).
A 2 cols., sign. A, 4 hs.
PARIS Mazarine 19416: Los principios de las guerras de
Cataluña. Sin fl.

82

CONDE DE SANTA COLOMA

«Relación verdadera del bando y pregón real que mandó
dar en nombre de Su Magestad el excelentísimo Conde de Santa Coloma en el Reyno de Cataluña y conda-
do del Rosellón para el rendimiento de Salses.»

(Grab. Muy bella letra ornada; dentro de Cristo) (Madrid, por Juan Sánchez, 1640).
Sign. A, in folio, 2 hs.
— «Aora oid todos los hombres».
PARIS, BN Oi 197 (16).

83

RIPOLL, IVAN

«Carta de Don Ivan Ripoll embiada desde el campo de Salsas al capitán Don Bartolo Ripoll, su padre cavallero entretenido cerca de la persona de Su excelencia por Su Majestad en que le de cuenta de lo sucedido en Salsas y declara lo inexpugnable fuerza del castillo y lo que hay dentro.»
(Grab. Escenas de una batalla con un castillo, un navío, un caballero, letra ornada) (Madrid, Juan Sánchez, 1640).
Sign. A, 4 hs.
PARIS, BN Oi 197 (8).

84

ANONIMO

«Relación del suceso que tuvo Francisco Diaz Pimienta, general de la Real Armada de Indias en la isla de Santa Catalina Dase cuenta cómo la tomó a los enemigos que la poseian echándolos de ella y de la estimación de los despojos y número de prisioneros.»
(Grab. No) [s.l., s.lib.ed., SD (XVII)].
Sign. A, in folio, 3 hs.
PARIS, BN Oi 197 (10).

85

ANONIMO
(diputados de la Generalitat de Cataluña)

«Secret publichs, pedra de toch, deles intencions del enemich y llums de la veritat. Que manifeste los enganys
y couteles de uns papers volans que va distribuint lo
enemich por la principat de Catalunya. Per manament
y orde del molts illustres senyors depurats y ohidors.»
(Grab. Muy bonimo emblema, Barcelone?) (s.l., s.lib.ed.,
1649?).
Sign. ABCDEFGHIJ² in folio, 20 hs.
PARIS, BN Oi 197 (12).

86

ANONIMO

«Copia de una carta que el Serenísim Rey de Portugal a
enviat als Deputats de Catalunya y Cuitat de Barcelona vertida de llengua portuguesa en llengua cathalana
y la enviada per sor embaxador que entrá en Barcelona a 26 de Ianer de 1641. Iesus Maria.»
(Grab. 2 angelotes, letra ornada) (Barcelona, Per Gabriel
Nogués, en lo carrer de Sant Domingo, 1641).
Sign. A, 4 hs.
PARIS, BN Ol 59.

87

ANONIMO

«Comparació de Catalunya ab Troya.»
(Grab. Hombre joven con un halcón y un perro bajo un
árbol, un viejo le golpea con un libro, un castillo a lo

«Comparació de Catalunya ab Troya». Pliego n.º 87 del Catálogo.

lejos) (Barcelona, en la estampa de Jaume Romeu, 1641).
A 1 cols., sign. A, 4 hs.
— «Com vols, que conta casos lastimosos».
PARIS, BN Yg 1468.

88

ANONIMO

«Romance de la ingratitud de los castellanos y sin razón.»
(Grab. No) (Barcelona, Gabriel Nogués en la calle de Santo
   Domingo, 1641).
A 2 cols., sign. A, 2 hs.
— «Si mi lengua no enmudesse».
PARIS, BN Ol 67.

89

ANONIMO

«Copia de tres cartas escritas per Sa Majestat Cristianis-
   sima Luis XIII, lo iust al molt illustres senyors Depu-
   ta del General de Catalunya. Traducidas del francés
   al catalá.»
(Grab. Letra ornada, motivos tipográficos) (Barcelona, en
   casa de Pere Cavalleria, 1641).
Sign. A, 4 hs.
PARIS, BMAZ 19416.

90

Compuesto y recogido por FONTENAY, M. DE,
vasallo del Rey Cristianisimo

«Coniunción, magna de pronósticos, feliz ascendiente de
   la Real sangre de Borbón y francesa monarquía.»
(Grab. Escudo Borbónico, flor de Lis, con dos angeles,

«Romance de la ingratitud de los castellanos y sin razón». Pliego n.º 88 del Catálogo.

letra ornada) (Barcelona, en casa de Iaume Matavat
impresor de la ciudad y de la universidad, 1641).
Sign. A, 4 hs.
PARIS, BMAZ 19416.

91

ANONIMO

«Relació de les noves que ha aportat lo capitan de caballs
    mosen de San German vingut a 26 de Iuny 1641 de París
    per la posta. Traduït de frances en catalá.»
(Grab. Angelotes, letrinas, grutescos) (Barcelona, en casa
    de Iaume Matevat estamper de la ciudad y universi-
    dad, 1641).
Sign. A, 2 hs.
PARIS, B MAZ 19416.

92

Compuesta por LANGA, MARTIN DE, *ciego*
hijo de la ciudad de Calatayud del reino de Aragón

«Relación muy verdadera de las crueldades e imposicio-
    nes del Conde Duque en toda la Monarquía de Espa-
    ña y particularmente la depravada voluntad con que
    ha deseado destruir y aniquilar el Principado de Cata-
    luña y ciudad de Barcelona.»
(Grab. Grutescos) (Barcelona, en casa de Iaume Matevat,
    impresor de la ciudad y su universidad, 1641).
A 2 cos., sign. A, 4 hs.
— «El inventor de la culpa».
PARIS, B MAZ 19416.

93

ANONIMO

«Relación verdadera del recibimiento que el Rey de Portugal D. Ivan III hizó al embajador del Principado de Catalunya y de otras cosas particulares por aviso de un correo que partió de Lisboa a 2 de Junio y llego a esta ciudad de Barcelona a 21 del mismo mes.»

(Grab. Motivo, letra ornada, un caballero armado a caballo con plumas) (Barcelona, en casa de Gabriel Nogués en la calle de Santo Domingo, 1641).

Sign. A, 4 hs.

PARIS, B MAZ 19416.

94

ANONIMO

«Copia de dos cartas la una enviada per lo molt illustres S. Franchesch de Tamarit deputat militar y general del exercit del principat y altra del mont illustre senyor Pere Ioan Rossell conceller Ters, y coronel de la ciutat de Barcelona ab las cuals donen avis de la señalada batalla y victoria que han alcanzado dels enemichs, va juntament la llista dels cavallers, asistentes en dita compaña.»

(Grab. Escudo Borbónico, letra ornada, grutescos) (Barcelona, en casa de Iaume Matevat estamper de la ciudat y universitat. 1641).

Sign. A, 4 hs.

PARIS, B MAZ 19416.

95

ANONIMO

«Iesus, María. Copia de una carta que lo serenisim Rey de Portugal a enviat als deputats de Catalunya y ciu-

tat de Barcelona. Vertida de la llengua portuguesa en
llengua Catalana y las enviadas per son embaxador,
que envia a Barcelona a 26 de Ianer 1641.»
(Grab. Grutescos) (Barcelona, por Gabriel Nogués en lo
carrer de Santo Domingo, 1641).
Sign. A, 4 hs.
PARIS, B MAZ 19416.

96

ANONIMO

«Apuntes donats per la Iunta del batalló als molts illustres senyors deputats del general de Catalunya ilegits
en los brazos generales tinguts en la casa de la diputa-
ció a 12 de Octubre 1641, Molt illustres senyores.»
(Grab. No) (s.l., s.lib.ed., 1641).
Sign. A, hs.
PARIS, B Arsenal 4.º H 2229/11 piece.

97

ANONIMO

«Relación verdadera de las victorias que ha tenido la Ar-
mada naval del Cristianísimo Rey de Francia Luis XIII
Conde de Barcelona. Y de la ciudad de los castellanos
que el ejército del Rey de Portugal ha saqueado.»
(Grab. Un barco muy bonito, encuadrado. Letra ornada
al final copa con flores) (Barcelona, en casa de Gabriel
Nogués en la calle de Santo Domingo, 1641).
Sign. A, 4 hs.
PARIS, B Arsenal 4.º H 2229/1O piece.

98

ANONIMO

«Relación sucinta, puntual y verdadera de lo que se hizó
en Barcelona quando llego la nueva del rendimiento
de Perpiñan y las solemnes luminarias que se hicieron.»
(Grab. Letra ornada) (Barcelona, Pedro Lacavalleria,
1642).
Sign. A, 4 hs.
PARIS, B Arsenal 4.º H 2229 *Pieces fugitives concernant
la revolte des catalans en 1640,* piece 9.

99

ANONIMO

«Relación de la derrota y presa del General D. Pedro de
Aragón y todo su ejército.»
(Grab. Escudo Borbon, letra ornada, motivos tipográfi-
cos) (Barcelona, Gabriel Nogués en la calle de Santo
Domingo, 1642).
Sign. ABC²D, 14 hs.
PARIS, B MAZ 19416.

100

HINOZOL, HUGO DE, cavallero catalán

«Cataluña agradecida, Romance que comprende los su-
cesos de las guerras de Catalunya.»
(Grab. No) (Barcelona, en la imprenta de Iaume Romeu,
delante Santiago, 1642).
A 2 cols., sign. A, 4 hs.
— «Los más notables sucesos».
PARIS, B MAZ 19416.

101

ANONIMO

«Relacio de la victoria guanyada per la exelensim senyor de La Motte, contra lo Marqués de la Inojosa propietario de la villa de Vilallonga en lo camp de Tarragona y varios avisos de diferents parts, tirat molt bons originals.»
(Grab. Letra ornada, grutescos) (Barcelona, per Pere Lacavalleria en la llibreteria, 1462).
Sign. A, 4 hs.
PARIS, B MAZ 19416.

102

ANONIMO

«Relacio verdadera dels sucesos del exercit que governa lo exelentisim Mariscal de La Mota Houden court en Aragó.»
(Grab. Un hombre con una botella encuadrado, letra ornada, motivos tipográficos) (Barcelona, en la estampa de Jaume Romeu devant San Jaume, 1642).
Sign. A, 2 hs.
PARIS, B MAZ 19416.

103

ANONIMO

«Relació de tots los sucesos que ha tinguts lo exercit de sa Majestad, governat per lo senyor Mariscal de la Motte, desde que partió de la vila de Tamarit en lo regno de Aragó y durant lo siti de monzó y los pactes de rendiment del castell.»

(Grab. Letra ornada, motivos tipográficos, ramo de flores) (Barcelona, en casa de Pere la Cavalleria, 1642).
Sign. A, 4 hs.
PARIS, B MAZ 19416.

104

ANONIMO

«Relación de los combates que ha tenido la armada de su Majestad Cristianísima gobernada por el excelentísimo señor Marqués de Brece General, con la del Rey cathólico, en las costas de Catalunya.»
(Grab. Paisaje con un barco y un sol encuadros, unas galeras con sus remeros, encuadrado) (Barcelona, Gabriel Nogués en la calle de Santo Domingo, 1642).
Sign. A, 4 hs.
— «Iesus, Maria, Joseph».
PARIS, B MAZ 19416.

105

ANONIMO

«Victoria que han alcanzat los catalans contra los enemichs y los enganys de Castilla, ab la entrada del Marqués de Torrescusa.»
(Grab. Escudo con flores de Lis, letra ornada, motivos tipográficos) (Barcelona, en casa de Gabriel Nogués en lo carre de Santo Domingo, 1642).
Sign. A, 2 hs.
PARIS, B MAZ 19416.

106

PARDO Y ZUÑIGA, JUAN

«Relación de todo lo que ha sucedido al ejército de Su Majestad desde que entró en este principado de Cataluña y discurso de Campaña y sitio de Tarragona escrito por el capitán don Juan de Pardo y Zuñiga.»
(Grab. Escudo Real, letra ornada) (Madrid, Juan Sánchez, 1642).
Sign. AB, in folio, 4 hs.
PARIS, BN Oi 197 (14).

107

ANONIMO

«Relación verdadera de los felices sucesos del encuentro que tuvo el excelentísimo señor Marqués de la Hinojosa con el ejército de Francia conducido por su General Mos de la Mota en la ermita de Villalonga, sabado 8 de Enero de 1642.»
(Grab. No) (Madrid, Catalina de Barrio y Angulo, 1642).
Sign. A in folio, 2 hs.
PARIS, BN Oi 197 (15).

108

ANONIMO

«Relación de la derrota y presa del General Don Pedro de Aragón y de todo su ejército.»
(Grab. Escudo Real con tres flores de lis) (Barcelona, Gabriel Nogués, en la calle de Santo Domingo, 1642).
Sign. ABC²D, 14 hs.
PARIS, BN Ol 77.

109

ANONIMO

«Relación puntual de la feliz y gloriosa restauración de
la plaza de ciudad Rodrigo, sitio de Lerida y estado
de la plaza de Gaeta, recibidas a un mismo tiempo, el
Jueves 6 de Octubre en la noche por remate y fin de
día tan plausible y de tanto regocijo y alborozo.»
(Grab. No) (Madrid, por Antonio Bizarrón, s.a.).
Sign. A, 2 hs.
PARIS, BN Oi 202.

110

ANONIMO

«Romance del rendimiento de Perpignan y de las fiestas
que la noble y fidelísima ciudad de Barcelona a hecho
del dicho rendimiento.»
(Grab. Escudo de Barcelona) (Barcelona, en la imprenta
de Jaime Romeu, 1642).
A 2 cols., sign. A, 4 hs.
— «Con quartana esta el león».
PARIS, BN Yg 1615.

111

ANONIMO

«Romance de los desconciertos de Castilla y perdida del
ejército de Don Pedro de Aragón».
(Grab. Escudo con 3 flores de lis y una corona) (Barcelo-
na, por Gabriel Nogués, en la calle de Santo Domin-
go, 1642).
Sign. A, 4 hs.
— «Mala la huviste Castilla».
PARIS, BN Yg 1614.

112

ANONIMO

«Relació verdadera de las festas fetas al naxement de un
fill de gran turch. Las proposicions fetas per los ingle-
sos per la reduccio dels irlandesos follevats. La decla-
racio del Rey de la Gran Bretaña y un carta escrita de
Londres ahont se relatan sucesos de las armadas ho-
landesa y portugesa en lo Brasil.»
(Grab. Un hombre que escribe una carta sentado y otros
esperan. Escribano?) (Barcelona, en la estampa de Iaume Romeu, 1642).
Sign. A, 4 hs.
PARIS, BN J 6538.

113

ANONIMO

«Romance del asitiado y no entendido Miravet, compuesta
por un bienefecto de la Patria, Iesus, María y Joseph.»
(Grab. Caballero a caballo con pluma y armadura) (Bar-
celona, Gabriel Nogués, en la calle de Santo Domin-
go, 1643).
A 2 cols., Sign. A, 4 hs.
— «Mal lograda Fuentecilla».
PARIS, BN Yg 1613.

114

ANONIMO

«Relación verdadera que trata de la insigne fiesta que los
alguaciles de Corte hicieron a Su Majestad por el nacimiento del Principe Nuestro Señor Don Baltasar Carlos Domingo. Con un romance al mismo nacimiento.»

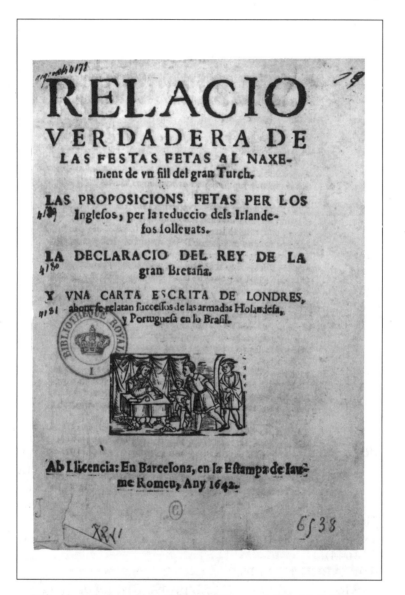

«Relació verdadera de las festas». Pliego n.º 112 del Catálogo.

(Grab. No) (Madrid, Juan Gonzpalez, SD).
Sign. A, 2 hs.
— «Cuanto deseaba España».
PARIS, BN Oc 204 (6).

115

ANONIMO

«Sucesos victoriosos del ejército de Alentejo y relación su-
maria de lo que por mar y tierra obraron las armas por-
tuguesas contra Castilla el año 1643.»
(Grab. Escudo con las armas portuguesas) (Lisboa, Pau-
lo Craesbeck, 1644).
Sign. ABC, 12 hs.
PARIS, B MAZ in 4.º 17952/pg 478 *RECEUIL DE LA
GUERRE DE PORTUGAL 1642.*

116

ANONIMO

«Relaçam dos gloriosos sucessos que as armas de sua ma-
jestade el Rey D. Ioan IV nuestro señor tiuveroan as
terras de Castella uste anno 1644 ate a memoravel victoria de Montijo.»
(Grab. Escudo de Portugal, casa de Braganza?) (Lisboa,
Antonio Alvarez impresor del Rey Nuestro Señor,
1644).
Sign. ABCD²E, 18 hs.
PARIS, B MAZ in 4.º 17952/pg 492 *Receuil de la guerre
de Portugal 1642.*

117

Escribela el doctor IVAN FRANCISCO DE ANDRES

«Carta a Don Miguel Batista de la Nuza del consejo de
Su Majestad y su secretario en el Supremo de Consejo
de Aragón. Refierese en ella la enfermedad y muerte
del serenísimo señor D. Baltasar Carlos de Austria,
Principe de las Españas.»
(Grab. No) (Madrid, Alonso de Paredes, 1647).
Sign. A in folio, 2 hs.
PARIS, B MAZ 3397 G/ 10 piece.

118

ANONIMO

«Noticia muy cierta y avistada del suceso que han tenido
las Armadas Navales de la República de Venecia contra el turco.»
(Grab. No) (Madrid, Diego Díaz, 1651).
Sign. A in folio, 2 hs.
PARIS, B MAZ 3397 G/8 piece *Diversos memoriales y
papeles.*

119

ANONIMO

«Relación de las grandes fiestas que desde sabado veinte
y tres de Septiembre hasta el martes tres de Octubre
se hicieron en la Corte de la Consagración y dedica-
ción del maravilloso templo del colegio Imperial de la
Compañía de Jesús.»
(Grab. No) (Madrid, por Pedro del Val, 1651).
Sign. A in folio, 2 hs.
PARIS, B MAZ 3397 G/7 piece.

120

ANONIMO

«Relación de las fiestas que se hicieron en la ciudad de Nápoles por el nacimiento del Príncipe nuestro señor, después de las que se celebraron hasta Marzo de este año
de 1658.»
(Grab. Letra ornada) (s.l., s.lib.ed., 1658?).
Sign. ABCDEF, 24 hs.
PARIS, BN 4.° K 403.

121

ANONIMO

«Testamento o codicilio del Rey de España Don Felipe IV
estando detenido en el lamentable lecho, de un mise-
rable retiro, aflijido de un doloroso estímulo de pérdi-
das tan irrecuperables.»
(Grab. No) (s.l., s.lib.ed., s.a.).
Sign. A, 2 hs.
— «Hallandome al fin postrero».
PARIS, BN Yg 2271.

122

ANONIMO

«Relación de lo que ha sucedido en Audenarda desde el
día 17 hasta 26 de Mayo estando sobre dicha villa los
franceses. Publicada oy Sabado 29 de Abril de 1664.»
(Grab. No) (Madrid, por Lucas Antonio de Bedmar y Val-
divia, impresor de los reinos de Castilla y León, s.a.).
Sign. A, 4 hs.
PARIS, BN Lh⁵ 1482.

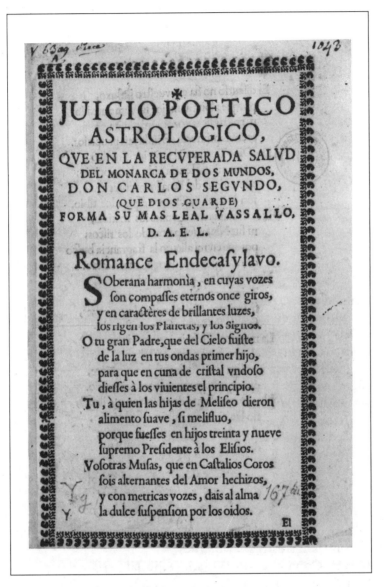

«Juicio poético astrológico». Pliego n.º 124 del Catálogo.

123

ANONIMO

«Copia de una carta escrita por un cavallero que sirve a
la Armada de Su Majestad católica en Cataluña, a su
amigo en respuesta de otra que se le havia enviado.»
(Grab. Letra ornada) (Barcelona, por Rafael Figueró, im-
presor de la diputación de Catalunya, 1689).
Sign. A²B, 5 hs.
— «Amigo mio».
PARIS, BN Oc 540 A.

124

ANONIMO D.A.E.L.

«Juicio poético astrológico que en la recuperada salud del
Monarca de dos mundos Don Carlos II, que Dios guar-
de, forma su más leal vasallo.»
(Grab. Encuadrado por motivos tipográficos) (s.l.,
s.lib.ed., s.a.).
Sign. A, 4 hs.
— «Soberana armonía, en cuyas voces».
PARIS, BN Yg 167 bis.

125

ANONIMO

«Comedia nueva el sueño del perro, competencia de ani-
males terrestres y volátiles.»
(Grab. Copa con flores) (s.l., s.lib.ed., SD).
Sign. A²B, 7 hs.
PARIS, BN Oc 665.

126

ANONIMO

«Junta o asamblea que a ojos vista tuvieron los culos de
esta Corte luego que les dieron con el mandamiento
de apremio para que no cagasen de orden del corregi-
dor de esta villa y sus arrabales. Romance.»
(Grab. No) (s.l., s.lib.ed., s.a.).
Sign. AB²C, 9 hs.
— «A los doce de Diciembre».
PARIS, BN Oc 665.

127

ANONIMO

«Coples curioses a la venguda de la Armada y socorro a
Barcelona quant lo Duch de Anjou la tenia sitiada y
com tota diferencia de Pardals, fau un cor y cada hali
canta una copla a Nostrun rey Carlos III que Deu guar-
de, com no venrá el curios lector.»
(Grab. No) (s.l., s.lib.ed., s.a.).
A 1 col, sign A, 2 hs.
— «Cantavem los angells».
PARIS, BN Yg 1470 bis.

128

ANONIMO

«Verdades sin aliño contra irreverentes falsedades.»
(Grab. Letra ornada) (s.l., s.lib.ed., Carta firmada en Be-
nimadet a 14 de Junio 1705).
Sign. ABC, 12 hs.
PARIS, BN Oc 602.

129

ANONIMO

«Relación diaria del sitio que los Vak Bottyan y Oczkay
    xefes de los rebeldes emprendieron contra la Real y li-
    bre ciudad de Oldenburgo en la Ungria y de su retira-
    da.»
Sign. A, 4 hs.
PARIS, BN Mp 2007.

130

AUTOR. NO

«Relación de lo sucedido en Granada tocante a la suble-
    vación intentada en aquella ciudad, según copia de una
    carta impresa en Madrid y bien se han omitido algu-
    nas circunstancias que no eran precisas al caso.»
(Grab. No) (Granada, s.lib.ed., 6 de Junio 1705).
Sign. A, 2 hs.
PARIS, BN Oc 601.

131

ANONIMO

«Al que quisiere leer, amigo lector Perico me llamo, la al-
    ternativa resucitada: Perico y Marica.»
(Grab. No) (Madrid, por Bonifacio de la Fraterna, en la
    calle del Buen Suceso, 1718).
Sign. ABC, 12 hs.
PARIS, BN Yg 1577.

132

ANONIMO

«La vida es sueño y lo que son los juyicios del cielo, Zar-
zuela espinosa, historia verdadera representada en el
gran coliseo de la paciencia de Madrid en los aciagos
días de más violento reynado.»
(Grab. No) (Zaragoza, vendese en Madrid enfrente de las
gradas de San Felipe el Real en casa de Fernando Mon-
ge.

Vendese en Sevilla en casa de...

Vendese en Valladolid en casa de...
SD XVIII).
Sign. AB²C, 9 hs.
PARIS, BN Yg 1575.

133

ANONIMO

«Quexas de la tibieza de España al ver tan ultrajada la fe
y elogios a su defensor Don Phelipe V (que Dios Guarde) Romance.»
(Grab. No) [s.l., impreso en la imprenta Real de Francisco de Ochoa a costa de Nicolas Prieto mercader de libros, SD (XVIII)].
A 2 cols., sign. A, 1 hs.
— «Para cuando heroyca España».
PARIS, BN Yg 1574.

134

ANONIMO

«Carta que escrivio la Señora Archiduquesa a su querido
esposo Don Carlos Archiduque de Austria.»

(Grab. Copa de flores) [s.l., s.lib.ed., SD (XVIII)].
A 1 col. sign. A, 2 hs.
— «A donde mi bien te has ido».
PARIS, BN Yg 1564.

135

ANONIMO

«Papel curioso entre bobos anda el juego unos muy ton-
tos y otros muy cuerdos, razonamiento de un cavalle-
ro y una dama. Romance.»
(Grab. Copa de Flores) [s.l., s.lib.ed., SD (XVIII)].
Sign. A, 2 hs.
— «Dígame padre postizo».
PARIS, BN Yg 1556.

136

LOZANO, FRANCISCO. Prior del monasterio de monjes
de San Basolio, de Madrid

«Salve que reza un fidelísimo vasallo que por serlo a su
legítimo dueño estuvo preso en una carcel. Dando gracias a Nuestra Señora de Atocha en aplauso y regocijo
de la feliz restauración de Madrid, al apacible domi-
nio de sus Reyes católicos Don Felipe V y Doña María
Luisa Gabriela por sus felicísimas y victoriosas armas,
dedicla su autor D...»
(Grab. Flores) [s.l., s.lib.ed., SD (XVIII)].
Sign. A, 4 hs.
PARIS, BN Yg 1555.

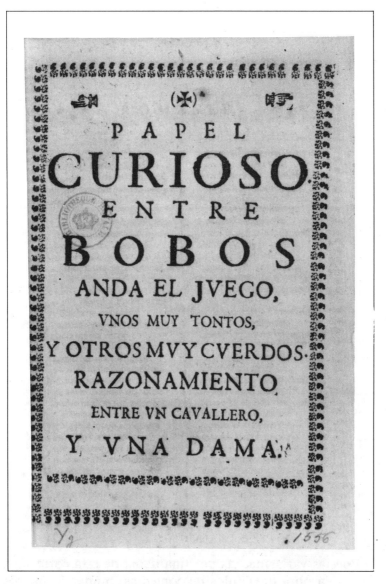

«Papel curioso». Pliego n.º 135 del Catálogo.

137

ANONIMO

«El que es de la Corte escrito por un gabacho nuevo que
    se precia de serlo por estar graduado en leyes del amor,
    respeto y lealtad que se debe a su amado Rey y Señor
    natural Don Felipe V.»
(Grab. Flores) [s.l., s.lib.ed., SD (XVIII)].
A 1 cols., sign. A, 4 hs.
— «Que haya venido a Madrid».
PARIS, BN Yg 1553.

138

ANONIMO

«Carta consolatoria al excelentísimo Señor Don Diego Es-
    tanop Gobernador de Madrid en interim que Nuestro
    Rey y Señor Don Felipe V (que Dios guarde) apresta-
    va su exercito real para hacerle prisionero.»
(Grab. No) [s.l., s.lib.ed., SD (XVIII)].
Sign. A, 2 hs.
— «Esto, Señor Estanop
No es más que esto
irse tarde y volver presto
Esto es esto y no es más que esto.»
PARIS, BN Yg 1552.

139

ANONIMO

«Poesias varias hechas por una dama de esta corte suya
    es la obra de Títulos de comedias, mudando metros
    y asuntos.»

(Grab. No) [s.l., s.lib.ed., SD (XVIII)].
Sign. A, 2 hs.
— «Suplid nobles cortesanos».
PARIS, BN Yg 1551.

140

ANONIMO

«Letrilla curiosa, graciosa y entretenida a la bienvenida
a Su Corte de Nuestros Católicos y legítimos Reyes,
segunda vez triunfantes.»
(Grab. Flores, copa de flores al final) [s.l., s.lib.ed., SD
(XVIII)].
A 2 cols., sign. A, 2 hs.
— «Ahora que Phelipe».
PARIS, BN Yg 1550.

141

ANONIMO

«Llantos alegres, regocijos tristes de las señoras mujeres
de esta Corte, a la Reina Nuestra Señora, alusión a los
gritos de Madrid con el mismo tema.»
(Grab. Flores) [s.l., s.lib.ed., SD (XVIII)].
A 1 cols., sign. A, 2 hs.
— «Ven adorada Enmanuela».
PARIS, BN Yg 1549.

142

ANONIMO

«Clamores, lagunas y suspiros de Madrid al Rey Nuestro
Señor don Felipe V (que Dios guarde) desde la cruel
opresión de los enemigos.»

(Grab. Flores) [s.l., s.lib.ed., SD (XVIII)].
A 2 cols., sign. A, 2 hs.
— «Ven adorado Philipo».
PARIS, BN Yg 1548.

143

ANONIMO

«Romance curioso en elógio del Rey Nuestro Señor Don
Felipe V (que Dios guarde) en título de comedias, com-
puesto por una señora de esta Corte.»
(Grab. No) [s.l., s.lib.ed., SD (XVIII)].
A 2 cols., sign. A, 2 hs.
— «Suplid nobles cortesanos».
PARIS, BN Yg 1546.
           — Même pliego BN Yg 1547.
           — Même pliego BN Yg 1576. Mais:
           Con licencia de los señores de la Junta, impreso
           en la imprenta real de Francisco de Ochoa a cos-
           ta de Nicolas Prieto mercader de libros año 1711.

144

ANONIMO

«Carta que escrive un amigo afecto le al vasallo de su Rey
y Señor Don Felipe V (que Dios guarde) a un íntimo
suyo desafecto, noticiando lo sucedido desde el día que
salió Su Majestad de la Corte hasta que volvieron a
ella sus catolicísimas armas.»
(Grab. Encuadrado de líneas de flores) [s.l., s.lib.ed., SD
(XVIII)].
Sign. A²B, 6 hs.
— «Amigo pues es día de correo».
PARIS, BN Yg 1545.

145

ANONIMO

«Diálogo entre maestro y discípulo deseando tener noticias de los derechos del Señor Phelipe V Rey de España y de los fundamentos que tienen los que no lo quieren por Rey por el acierto del dictamen, que deben formar en el Tribunal de su conciencia. Trabajo que se dedica a Dios Trino y Uno, quien sólo puede dar y quitar reinos.»

(Grab. No) [s.l., s.lib.ed., SD (XVIII)].

A 2 cols., sign. A, 4 hs.

— «por más que me he recojido».

PARIS, BN Yg 1544.

146

ANONIMO

«Diálogo entre un afecto y un desafecto al general Estanop.»

(Grab. Copa de flores en la pg. 3) [s.l., s.lib.ed., SD (XVIII)].

A 2 cols., sign. A, 4 hs.

— «Después que acabó en Brihuega».

PARIS, BN Yg 1543-1604.

Faux recueil de pliegos qui a pour titre *Poesías de tiempo de guerra*.

núm. 1543.

147

ANONIMO

«Demostración sensible que hizo la Corte, el norte todo por la infeliz y desgraciada muerte de la corona al Serenísimo Principe alemán al Señor Archiduque».

(Grab. No) (s.1., s.lib.ed., SD)
A 2 cols., sign. A, 2 hs.
— «A tus plantas gran Philipo».
PARIS, BN Yg 580

148

ANONIMO

«Cartas que escrive el Rey de romanos a su hermano el
   Archiduque con la noticia de su derrota en los campos
   de Brihuega y Villaviciosa traducida de Alemán en es-
   te Romance».
(Grab. No) (s.1., s.lib.ed., SD).
A 2 cols., sign. A, 2 hs.
— «Carlos, hermanos y amigo».
PARIS, BN Yg 580

149

ANONIMO

«Carta segunda del marqués de las Minas General que fue
   del Exercito de Portugal, cuando entró en Castilla y
   Madrid. Año 1706».
(Grab. En la última página cuerno de abundancia) (Lis-
   boa, s.1., s.lib.ed., 1706).
A 2 cols., sign. A, 4 hs.
— «Miño amigo Estaremberg».
PARIS, BN Yg 580.

150

ANONIMO

«Verdadera y nueva relación en que se refiere la segunda
   parte del sitio de Barcelona declarando en ella las se-

ñales que el cielo nos ha demostrado, publicando en
ellas la victoria por nuestro Carlos invicto a quien Dios
guarde muchos años, sucedió en este año 1706».
(Grab., No) (s.l., s.lib.ed., 1706?).
A 2 cols., sign. A, 2 hs.
— «O gran Dios omnipotente».
PARIS, BN Yg 2275.

151

ANONIMO

«Relación verdadera de la feliz expugnación y rendimiento de la plaza de Alcántara que consiguieron en nombre de la Católica Majestad de Carlos III que Dios guarde. Rey de España las armas Lusitanas, con las de los
altos aliados desde el día 10 hasta el 17 de Abril 1706».
(Grab. No) (Valencia, por Vicente Cabrera, impresor de
la ciudad en la plaza de la Seo, 1706).
Sign. A, 4 hs.
PARIS, BN oi 148.

152

ANONIMO

«Relación individual de la toma de la ciudad y castillo de
Caller y de todo el Reino de Cerdeña con las capitula-
ciones de la dicha ciudad y reino». Caller 20 de Agos-
to de 1708.
(Grab. No) (Barcelona, por Rafael Figueró impresor del
Rey nuestro Señor, 1708).
Sign. A, 4 hs.
PARIS, BN Oi 303.

153

ANONIMO

«Nuevo y curioso romance en que se da cuenta y declara el feliz parto y dichoso nacimiento de un Infante que tuvo la Reina Nuestra Señora Doña María Luisa Gabriela de Saboya el día 5 de Julio de este año a las siete de la tarde y el general regocijo y contento que hubo en esta Corte, con otras particularidades como verá el curioso lector».
(Grab. No) (Madrid, s.l., s.lib.ed., 1709).
A 2 cols., sign. A, 4 hs.
— «Albricias pide mi musa».
PARIS, BN Yg 580 (5).

154

ANONIMO

«Relacón de la batalla de Gudiña sucedida el 7 de Mayo de 1709».
(Grab. Ornamentos tipográficos, letra ornada) (s.l., Hállase en casa de Diego Martínez Abad, calle de la Corguera, 1709).
Sign. A, 4 hs.
PARIS, BN Yg 580 (3).

155

ANONIMO

«Relación verdadera en que se refiere el bando general que la Reina de Inglaterra mandó publicar en todos sus reinos para que todos sus vasallos conserven amigable correspondencia y comunicación con los vasallos de las

dos Coronas de España y Francia, con todas las particularidades que verá el curioso lector».
(Grab. No) [s.l., s.lib.ed., SD (Felipe V)].
Sign. A, 4 hs.
PARIS, BN Yg 580 (10).

156

ANONIMO

«Proezas del Señor General Guido Estaremberg, quando pasó a coronar por Rey al Señor Archiduque Carlos de Austria. Oigan señores, sabrán las proezas, que en Castilla han hecho con mucho afán Estaremberg, capitán y Estanhop y su cuadrilla».
(Grab. Encuadrado por una línea de flores) [s.l., s.lib.ed., SD (Felipe V)].
A 2 cols., sign. A, 4 hs.
— «Que hay amigo Estaremberg».
PARIS, BN Yg 580 (12)

157

ANONIMO

«Poesías varias hechas por una dama de esta Corte cuya es la obra de título de comedias, mudando metros y asuntos.
— Sentimientos de Madrid en la ausencia de su amado Rey y llegada del enemigo: «Bellísima madama».
— A la quema del Alcazar de Toledo: «Ardiose esta el palacio».
— Renombres de los desafectos de su majestad: «Bárbaros que el llamaros Calvinos».
— Décimas a la prisión de Estanhope: «Estopa, mal hilado».

(Grab. No) [s.1., s.lib.ed., SD (Felipe V)].
A 2 cols., sign. A, 4 hs.
PARIS, BN Yg 580 (14).

158

ANONIMO

«Carta de Perico de Tiñoso, lazarillo de Toledo para el
   cura de Orcajo, su tío en que cuenta como testigo de
   vista las memorables azañas del Conde de la Atalaya
   y los santos hechos de sus devotos compañeros Ami-
   lithon y Eduardo, desde el día 2 de Octubre en que en-
   traron sus tropas en dicha ciudad de Toledo hasta el
   día 28 de Noviembre que salieron en este año 1710».
(Grab. Línea de flores que separa las 2 columnas) (s.1.,
   s.lib.ed., 1710).
A 2 cols., sign. A, 4 hs.
— «Tío muy amado».
PARIS, BN Yg 508 (17).

159

ANONIMO

«Relación diaria de todo lo sucedido en Madrid desde el
   día 20 de Agosto hasta el 3 de Diciembre de este año
   1710 en que su Majestad entró en su Corte».
(Grab. Letra ornada) (Madrid, Hállase en casa de Juan
   Martín Merinero, mercader de libros de la Puerta del
   Sol, 1710).
Sign. A, 4 hs.
PARIS, BN Yg 580 (20).

160

ANONIMO

«Curioso y nuevo romance en que se expresan las glorio-
sas azañas del invencible español Don Joseph Vallejo
coronel y brigadier de los ejércitos del Rey Nuestro Se-
ñor Don Felipe V que Dios guarde».
(Grab. Decoración tipográfica) (s.1., s.lib.ed., SD).
Sign. A, 4 hs.
— «Valerosos españoles».
PARIS, BN Yg 580 (21).

161

ANONIMO

«Carta que escriben los ciegos de Madrid a los ciegos de
la ciudad de Sevilla, embiándoles a decir todo lo que
ha pasado en esta corte desde el día 21 de Septiembre
hasta que los enemigos se fueron della».
(Grab. Ornamentos tipográficos, una copa con flores) (s.1.,
s.lib.ed., SD).
A 2 cols., sign. A, 4 hs.
— «Amigo me alegraré».
PARIS, BN Yg 580 (22).

162

ANONIMO

«Voces y lamentos de un leal vasallo, lamentando los ro-
bos, saqueos que el ejército del Señor Archiduque y
sus aliados han ejecutado a la entrada y salida de Castilla y testimonio del derecho que tiene a esta Corona
el Señor Phelipe V que Dios guarde».

(Grab. Encuadrado por una línea de flores, copa de flores) (s.l., s.lib.ed., SD).
A 2 cols., sign. A, 4 hs.
— «Dexad vuestro destinos».
PARIS, BN Yg 580 (25).

163

ANONIMO

«Romance de los ciegos de Madrid a nuestro Rey y Señor Don Phelipe V (que Dios Guarde muchos años).
(Grab. Encuadrado por una línea de flores) (s.l., s.lib.ed., SD).
A 1 col., sign. A, 4 hs.
— «Philipo Rey y Señor».
PARIS, BN Yg 580 (27).

164

ANONIMO

«Relación de los progresos del ejército del Rey Nuestro Señor desde el día 6 de Diciembre que partió Su Majestad desde Madrid y la feliz victoria conseguida contra los enemigos el día 11 de Diciembre de 1710 en el campo de Villaviciosa».
(Grab. Letra ornada) (s.l., s.lib.ed., SD).
Sign. A, 4 hs.
PARIS, BN Yg 580 (29).

165

ANONIMO

«Puntual y verdadera relación de los movimientos del ejército del Rey Nuestro Señor, desde el arribo de su Ma-

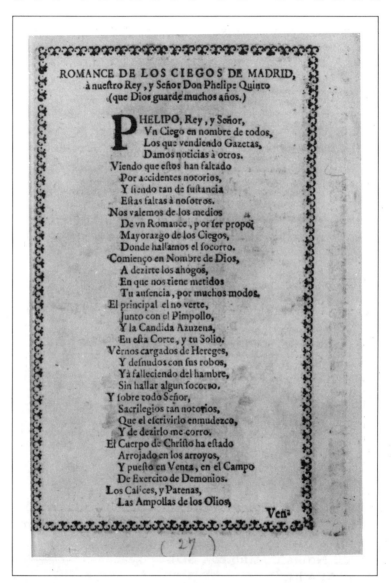

‹Romance de los ciegos de Madrid». Pliego n.º 163 del Catálogo.

jestad a Madrid en seguimiento de sus enemigos hasta
las cercanías de Brihuega, toma de esta villa y completa victoriosa que consiguio Su Majestad de ellos, en
las cercanías de Villaviciosa el 10 de Diciembre de
1710».
(Grab. Escudo del Rey encuadrado con flores, en la última página pequeños amores que persiguen liebres) (s.1,
Hállase en casa de Juan de Aristia, en la calle de los
Boteros, SD).
Sign. A, 4 hs.
PARIS, BN Yg 580 (30).

166

ANONIMO

«Curiosa letra, desengaño de malcontentos y danza de los
aliados».
(Grab. No) [s.1., s.lib.ed., (Felipe V)].
A 2 cols., sign. A, 4 hs.
— «Ha de la hispana Corona».
PARIS, BN Yg 580 (32).

167

ANONIMO

«Carta que escrive desde Vitoria Magdalena la Loca al Se-
ñor Archiduque, en que le da algunos consejos como
suyos para su feliz educación».
(Grab. No) (s.1., s.lib.ed., SD).
Sign. A, 4 hs.
— «Yo Magdalena la Loca».
PARIS, BN Yg 580 (33).

168

ANONIMO

«Carta que escrive Magdalena la Loca desde Vitoria a Don Diego Stanhope aviendo sabido la feliz victoria que han conseguido las gloriosas armas de nuestro muy amado Rey Don Felipe V (que Dios guarde) dándole un consejo para su aprovechamiento, Romance».
A 2 cols., sign. A, 4 hs.
(Grab. En la última página amorcillos) (s.1., s.lib.ed., SD).
— «Señor, Don Diego Stanop».
PARIS, BN Yg 580 (34).

169

«Carta nueva y respuesta que da Marica la Tonta a la que escrivió Magdalena la Loca al Señor Archiduque de Austria en que se manifiesta con su estilo tosco repetidas quejas porque escrive sólo noticias de lo que pasó en Madrid estos días pasados y le impugna su carta como testigo de vista añadiendo la feliz y plausible entrada de nuestro Rey Felipe V (que Dios guarde) el día 3 de Diciembre de este año con lo demás que verá el curioso lector».
(Grab. Copa de flores) (s.1., se hallará en la librería de Miguel Martín frente a las gradas de San Felipe el Real (y también la carta de Magdalena).
A 2 cols., sign. A, 4 hs.
PARIS, BN Yg 580 (35).

170

ANONIMO

«Sentencias breves y verdaderas a la alusión de estos tiempos sacados y animados por un leal Sancho, expositor de refranes. Romance».

(Grab. No) [s.1., s.lib.ed., SD (Felipe V)].
A 2 cols., sign. A, 2 hs.
— «Después que Madrid se ha vuelto».
PARIS, BN Yg 580 (37).

171

ANONIMO

«Carta de Estaremberg a Estanop hecho prisionero en Bri-
huega dándole con la entrada y la salida de Castilla.
Romance Zumbático».
(Grab. Línea de flores) [s.1., s.lib.ed., SD (Felipe V)].
A 2 cols., sign. A, 4 hs.
— «Señor Don Diego Estanop».
PARIS, BN Yg 580 (41).

172

ANONIMO

«Matraca entre los generales Starember y Estanop».
(Grab. No) [s.1., Hallase en casa de Diego Larrumbe. En
la Cuchilleria, SD (Felipe V)].
A 2 cols., sign. A, 4 hs.
PARIS, BN Yg 580.

173

ANONIMO

«Diálogo entre un afecto y un desafecto al General Esta-
nop y sentencias contra el enemigo».
(Grab. No) [s.1., s.lib.ed., SD (Felipe V)].
A 2 cols., sign. A, 4 hs.
PARIS, BN Yg 580.

174

ANONIMO

«Romance que saca a luz y compone de rustiqueces y sim-
plicidades la risa de las mojigangas, el festejo de las
danzas del Copus. El continuo alborozo de las calles
de Madrid. El patán de la villa de Alcorcón».
(Grab. Línea de flores, en la última página: guirnaldas de
flores y angelotes) [s.1., s.lib.ed., SD (Felipe V)].
A 2 cols., sign. A, 4 hs.
— «Oy pretendo a vuestra entrada».
PARIS, BN Yg 580.

175

ANONIMO

«Debidas aclamaciones al incomparable valor de nuestro
amado Monarca Don Felipe V (que Dios guarde) en
la restauración de sus perdidos vasallos. Romance».
(Grab. última hoja una copa de flores) [s.1., s.lib.ed., SD
(Felipe V)].
A 2 cols., sign. A, 2 hs.
PARIS, BN Yg 580.

176

ANONIMO

«Llantos regocijos y triunfos del Rey Nuestro Señor Don
Felipe V (que Dios guarde), con lo sucedido en el Rei-
no de Valencia desde el 20 de Agosto de 1710 hasta
el 19 de Diciembre de dicho año. Romance heroico».
(Grab. línea de flores) (Valencia, Antonio Bordazar, 1710).
A 2 cols., sign. A, 4 hs.
— «Llegó el día fatal 20 de Agosto».
PARIS, BN Yg 580.

177

ANONIMO

«Historia del calesero, de los principales sucesos de España desde el día 20 de Agosto del año pasado de 1710, hasta la rendición de Gerona y Balaguer».
(Grab. No) (Zaragoza, por Diego Larrumbe, SD).
Sign. A, 4 hs.
— «Yo no soy Perico».
PARIS, BN Oc 665.

178

ANONIMO

«Relación diaria de todo lo sucedido en Madrid desde el día 20 de Agosto hasta el 3 de Diciembre de este año 1710 en que Su Majestad entró en su Corte».
(Grab. Letra ornada) (Madrid, Hallase en casa de Juan Martín Merinero, mercader de libros en la Puerta del Sol, 1710?).
Sign. A, 4 hs.
PARIS, BN Oc 659.

179

ANONIMO

«Tercera parte: que hacer cueta sin la huésped y al freir los huevos que representaron los trufaldries, de la covachuela. Compuesta por un ciego de la estafeta, traducida al castellano y al portugués por un armenio de la Puerta del Sol. Conferencia bolátil y terrestre para fin deste año de 1710, y principios de 1711».
(Grab. No) (s.l., s.lib.ed., 1711?).

Sign. A, 4 hs.
— «Los para la comedia del sueño del perro».
PARIS, BN Oc 665.

180

ANONIMO

«Noticia puntual y verídica de los terribles terremotos que
ha padecido la muy noble y muy leal ciudad de Jaen
desde el día 1 de Febrero hasta últimos del mes de Marzo de este presente año de 1712. Refierense las ruinas
que han causado en su Santa Catedral, Iglesia y Torres de ella hasta desquiciar las companas de su sitio:
rogativas, procesiones y edificativas penitencias que sus
nobles ciudadanos han executado para implorar a la
Divina Misericordia, con obras particularmente dignas
de saberse».
(Grab. No) (Madrid, s.1., s.lib.ed., publicadas domingo
17 de Abril).
Sign. A, 4 hs.
PARIS, BN Oc 665.

181

ANONIMO

«Noticia verdadera del feliz nacimiento del serenísimo Infante de Castilla, Felipe Pedro Gabriel, dado a luz del
mundo por gracia del Altísimo, al amanecer del día 7
de Junio de 1712, día de los gloriosos mártires de Cór-
doba. S. Pedro y compañeros por medio del dichoso
alumbramiento de la Reina Nuestra Señora Doña María Luisa Gabriela de Saboya con la enhorabuena del
Principe de Asturias le da a su Real hermano y las par-

ticulares circunstancias y ocurrencias en tan afortuna-
do suceso».
(Grab. No) (Madrid, s.1., s.lib.ed., 1712).
Sign. A, 4 hs.
PARIS, BN Oc 655.

182

ANONIMO

«Relación de los desposorios del Rey Católico de las Españas Don Felipe V con la serenísima Princesa de Par-
ma, Isabel Farnesio celebrado en esta ciudad el día die-
ciseis de Septiembre de 1714, y traducido del italiano
al español».
(Grab. No) (Madrid, por Juan de Ariztia, calle de Alcalá,
publicado en Madrid, Sabado 6 de Octubre 1714).
Sign. A, 4 hs.
PARIS, BN Oc 665.

183

ANONIMO

«Verdades sólidas acrisoladas en la lealtad española que
ofrece un fiel vasallo a honra y gloria de Dios Nuestro
Señor y católica Monarca, Don Felipe V.
          En la española nación
          Muchos hay que son leales
          Más lo que son imperiales
          peores que el diablo son».
(Grab. No) (s.1., s.lib.ed., SD).
Sign. A, 2 hs.
— «Imperiales bien se ve».
PARIS, BN Oc 665 *Receuil de pieces españoles*
          BN Oc 637.

184

ANONIMO

«Discurso demostrativo del error en que miserablemente viven los desfectos a nuestro verdadero Rey y Señor Felipe V que Dios guarde. Sacale a luz el desengaño, hijo legítimo de la verdad».
(Grab. No) (s.1., s.lib.ed., SD).
Sign. A, 4 hs., a 2 cols.
— «Miserables carolitas».
PARIS, BN Oc 665.

185

ANONIMO

«Oración que la Real Academia Española hizo al Rey Nuestro Señor D. Felipe V que Dios guarde, en 19 de Diciembre de 1717 día de su cumplimiento de años dandole el parabien del restablecimiento de su salud y del recobro de la isla de Cerdeña. Señor.»
(Grab. Letra ornada) [s.l., s.lib.ed., SD (1717?)].
Sign. A, 1 hs.
PARIS, Bn Oc 665.

186

ANONIMO

«Relación verídica del combate que el día once de Agosto de 1718 hubo entre la Armada de España y la de Inglaterra en las costas orientales de Sicilia y en el Canal de Malta.»
(Grab. Letra ornada) (Madrid, en la imprenta de Juan de Aritzia, en la calle de Alcalá, 1718?).
Sign. A, 3 hs.
PARIS, BN Oi 166.

187

ANONIMO

«Descripción del feliz y deseado arribo a esta Corte de nuestros católicos Monarcas don Felipe V y doña María Luisa Gabriela de Saboya y don Luis Fernando, Principe de Asturias.»
(Grab. Escudo de Madrid, encuadrado) (s.l., por Juan del Castillo. Hallase en las gradas de S. Felipe el Real en el puesto de Juan de Montenegro, SD).
Sign. AB, 8 hs.
PARIS, BN Oc 665.

188

ANONIMO

«Relación de las fiestas que se han ejecutado en esta Corte, por la imperial y coronada villa de Madrid, en celebridad de las bodas de los señores Reyes de las dos Sicilias Don Carlos de Borbón y Doña María Amelia, Princesa de Saxonia.»
(Grab. Encuadrado con motivos) (Madrid, s.lib.ed., 1738).
Sign. A, 4 hs.
PARIS, BN Yg 1609.

189

ANONIMO

«Relación de los plausibles festejos y sagrados cultos que el Eminentísimo Señor Cardenal Arzobispo primado de las Españas con su illustrísimo cabildo y asistencia de la Imperial ciudad de Toledo ha celebrado al Santo Sacramento en su Colocación en el nuevo y magnifico

transparente los dias 9, 10, 11, 12 de Junio de este año
de 1732.»
(Grab. No) (s.l., s.lib.ed., 1732?).
A 2 cols., sign. A²B, 6 hs.
— «A los climas más distantes».
PARIS, BN Yg 1578. m

190

ANONIMO

«Relación de las fiestas subsequientes después de celebra-
dos los cultos que el Eminentísimo Señor Cardenal...
los días 22 y 25 de Junio de este año de 1732.»
(Grab. No) (s.l., s.lib.ed., 1732?).
A 2 cols., sign. A, 2 hs.
— «Prometí que muy gustoso».
PARIS, BN Yg 1579.

·191

ANONIMO

«Poesías varias que en la soledad de su retraimiento escrivio Don Francisco de Castro. Advirtiendo no ser suyas otras, que andan en su nombre manuscritas, y impresas a diferentes asuntos, ni las coplas añadidas a
este romance en que se refiere por que se fué y por que
se vinó de Valladolid, a esta Corte pues solo lo que va
aquí expresado es lo que a escrito.»
(Grab. Copa de flores. Escudo de Madrid) (Madrid, por
Diego Martínez Abad, impresor de libros en la calle
de la Gorguera. Hallase en su casa y en la puerta de
Guadalajara, 1710).
Sign. ABC, 12 hs.
PARIS, BN Yg 1585.

192

ANONIMO

«Verdadera noticia y subcinta expression del verdadero caso pasmoso suceso y admirable prodigio que se ha experimentado en la villa de Caramiñal en la costa del mar del Reyno de Galicia, con una mujer que parió siete hijos en diferentes partos en tiempo de ochenta y dos días desde el ocho de Febrero hasta veinte de Abril deste presente año de 1738, diciendose que aún (según los dolores que padece) tiene más que arrojar, de cuyo suceso se dará noticia.»

(Grab. No) (s.l., s.lib.ed., 1738?).

A 2 cols., sign. A, 2 hs.

— «De los admirables casos».

PARIS, BN Yg 1597.

193

ANONIMO

«Carta nueva que da Marica la Tonta.»

(Grab. No) (Madrid, impreso en Madrid y por su original en Granada en la imprenta Real de Francisco de Ochoa a costa de Nicolas Prieto mercader de libros, vendese en su casa donde se hallará esta semana la relación de las hazañas del Coronel Don Joseph Vallejo, s.a.).

Sign. A, 2 hs.

PARIS, BN Yg 1602. Meme pliego 1559 mais sans libraire editeur.

194

ANONIMO

«Nueva relación y curioso romance que se refiere como en la ciudad de Lisboa el día 20 del mes de Mayo de este año de 1745 se vió en la región de Ayre una mara-

VERDADERA
NOTICIA,
Y SUBCINTA EXPRESSION,
del verdadero caſo, paſmoſo ſuceſſo, y
admirable prodigio, que ſe ha experimentado en la Villa del Caramiñal, en la
Coſta del Mar del Reyno de Galicia,
con vna muger que parió ſiete hijos, en
diferentes partos, en tiempo de ochenta
y dos dias, deſde 8. de Febrero, haſta 30.
de Abril de eſte preſente año de 1728.
diſcurriendoſe, que aun (ſegun los dolores que padece) tiene mas que
arrojar; de cuyo ſuceſſo ſe
darà noticia.

DE los admirables caſos,   caſo ſemejante, nunca
    de los notados portentos,   ſe ha leìdo en nueſtros Reynos,
que eſcriven antiguas plumas,   y por ſingular intenta
y han advertido diſcretos,   mi corto ruſtico ingenio

«Verdadera noticia». Pliego n.º 192 del Catálogo.

197

ANONIMO

«Relación verdadera, romance que declara inconsiderada
y atrevida la sublevación que intentaban hacer los indios mal acordados y algunos mestizos en la ciudad de
Lima. Se da razón de las prontísimas y bien ordena-
das providencias que se dieron para embarazo de tan
osada execución y del justo castigo que se dio a los cul-
pables.
Segunda parte, en que refieren los sucesos que acae-
cieron en el levantamiento de los indios de La Baytam-
bo y varios pueblos: en el de Hoarochiry y el modo
con que se apaciguo. Con lo demás que verá el curioso lector.»
(Grab. Pequeño grabado; copas de flores, manos, pequeños soldados, flores) (Lima, en la imprenta que esta
en la plazuela de San Cristobal, 1700).
A 2 cols., sign. AB, 2 y 4 hs.
Primera parte: — «Sacro Dios omnipotente».
Segunda parte: — «Si fue el primero romance».
PARIS, BN Res Z 1734.

198

ANONIMO

«Haviendose experimentado en esta ciudad una epidemia
catharal.»
(Grab. No) (Lima, en la imprenta de la Plazuela de S. Cris-
toval y se hallaran en la esquina de Cavildo en un ca-
jón de la rivera, 27 de Junio de 1749).
Sign. A, 2 hs.
PARIS, BN Res Z 1735.

199

ANONIMO

«Desolación de la ciudad de Lima y diluvio del puerto del
Callao. Diose esta relacion en 6 de Noviembre de 1746
y sigue esta relación la calamidad que dará materia a
más larga esplicación de los venideros sucesos.»
(Grab. No) (Lima, en la imprenta nueva que estaba en la
calle de los mercaderes, 1746).
Sign. A²B, 6 hs.
PARIS, BN Res Z 1736.

200

ANONIMO

«Hermosura de la selva y valentía en el coso. Plausibles
corridas de toros que en 5 tardes incluidas las de los
días de Carnes tolendas dispuso en la plaza de S. Cris-
toval el activo celo de D. Pedro Bravo de Castill del
consejo de Su Majestad y su Oidor de la Real Audiencia de Lima, a fin que se arrojasen limosnas para la
reedificación del hospital de S. Lázaro de que es protector y se describen en 22 décimas terminando todas
en títulos de comedias que le ofrece a su piadoso ex-
fuerzo un apasionado. Año 1753.»
(Grab. Copa de flores al final. Encuadrado) (s.l., s.lib.ed.,
1753).
Sign. A²B, 6 hs.
PARIS, BN Res Z 1737.

201

ANONIMO

«Nueva relación y curioso romance en que se declara como un cavallero natural de Tarragona en sus travesias

dejo su patria y padres y se fue a la corte del Emperador de Alemania donde tomó plaza de soldado y por sus buenos servicios le honró Su Majestad con el empleo de Capitán. Refierese como a los 58 años de edad pidió licencia a Su Majestad Imperial para volverse a su patria y concedida se fue. Halló sus padres difuntos y su matrimonio enagenado y puesto en litigio tuvo infeliz sentencia. Por lo que la divina Majestad permitio que un demonio lo entrase en el infierno para que un condenado declarase donde estavan los papeles, instrumentos de su legítima, sucedió el día 4 de enero de 1756.» (Grab. Una peregrinación fuera de la ciudad) (s.l., s.lib.ed., SD).
A 2 cols., sign. A, 2 hs.
Primera parte: — «Asombro raro de asombros».
PARIS, BN Yg 120-227, núm. 226.

202

ANONIMO

«Segunda parte en que se prosigue la historia del mencionado cavallero: dase cuenta como por permissión de Dios encontró con el demonio el cual lo llevó engañado a un bosque en donde se habrió la tierra y baxaron a los infiernos donde vió al condenado que le havia negado los papeles e instrumentos de su legitima. También refiere como salió por una cueva junto al castillo de Murviedo con otras individuales noticias que vera el curioso lector, sucedio el día 4 de Enero de 1756.» (Grab. Un hombre vestido de soldado. El demonio en su trono) (Barcelona, herederos de Juan Jolis, calle de Algodoneros, 1756?).
A 2 cols, sign. A, 2 hs.
— «En la primera parte, quedó».
PARIS, BN Yg 120-227, núm. 227.

203

ANONIMO

«Relación del Conde Alarcos.»
(Grab. Un turco, una mujer, un rey en su trono, encua-
drado) (Murcia, por Francisco Benedito, 1772).
A 2 cols., sign. A, 4 hs.
— «Retirada está la infanta».
PARIS, BN Yg 668
          Yg 974.

204

ANONIMO

«Romance nuevo y curioso en el cual se da cuenta de un
prodigio que María Santisima de Utrera obró con un
caballero y una señora llamada Doña Teresa Contreras natural de la ciudad de Almeria con todo lo demás
que vera el curioso lector.»
(Grab. Hombre, mujer, un caballero) (Murcia, por Francisco Benedicto, 1783).
A 2 cols., sign. A, 2 hs.
— «En el nombre de Dios padre».
PARIS, BN Yg 1029.

205

ANONIMO

«Nueva relación y curioso romance en que se refiere un
caso maravilloso que sucedio en la Corte de Madrid
con una dichosa mujer que estando próxima al parto
falleció en el y haviendola abierto después, hallaron
un niño hincado de rodillas y las manos cruzadas y con

«Relación del Conde Alarcos». Pliego n.º 203 del Catálogo.

la forma que había recibido su madre en la boca. Su-
cedio este presente año.»
(Grab. Una custodia, una mujer acostada, un cordero)
(Madrid, por Juan Abad, impresor, s.a.).
A 2 cols., sign. A, 2 hs.
— «Admirese todo el orbe».
PARIS, BN Yg 120-227, núm. 225.

206

ANONIMO

«Xacara nueva en que se refiere y da cuenta de las 20 muertes que hizo una doncella llamada Teresa Llanos natural de la ciudad de Sevilla siendo las primeras a dos
hermanos suyos por averla estorbado al casarse. Y también se declara como se vistio de hombre, que fue presa y sentenciada a muerte y quedo libre por haverse
descubierto que era mujer y el dichoso fin que tuvo.»
(Grab. Una mujer y un hombre encuadrados) (Barcelona, por Juan Jolis, calle de los Algodoneros, SD).
A 2 cols., sign. A, 2 hs.
— «Prestamé silencio al mundo».
PARIS, BN Yg 120-227, núm. 212.

207

ANONIMO

«Primera parte de una carta que un patán le envía a un
amigo suyo llamado Ximón dandole cuenta de lo que
había pasado en la ciudad de Sevilla por los amores
de una zagala. Con todo lo que verá el curioso lector».

(Grab. 2 figuras satíricas y grotescas, enanos, un noble y
   un cura) (s.l., s.lib.ed., SD).
A 2 cols., sign. A, 2 hs.
— «Supuesto amigo Ximón».
PARIS, BN Yg 120-227, n.º 210.

208

ANONIMO

«Romance nuevo del chasco que le dio una vieja a un mancebo dandole una sobrina suya por doncella que havía
   ya parido 14 chiquillos sin otras faltas que era tuerta,
   tiñosa y calva. Compuesto por un capador de grillos
   y un cardador de lana de tortugas en este presente año».
(Grab. Boda delante de un cura. Una mujer vista de es-
   paldas se va) (Olot, Joseph Rovira impresor y librero
   a la Calle Mayor, SD).
A 2 cols., sign. A, 2 hs.
— «Discreto auditorio mio».
PARIS, BN Yg 120-227, n.º 209 bis.

209

ANONIMO

«Coplas a la zamorana sobre un mal casamiento».
(Grab. No) (s.l., s.lib.ed., SD).
A 2 cols., sign. A, 1 hs.
— «Atención a las coplas».
PARIS, BN Yg 120-227, n.º 209.

210

ANONIMO

«Nueva y curiosa relación en que se da a entender y se declara los desengaños del mundo».
(Grab. Un hombre que pide limosna. Al final ornamentos con flores) [Zaragoza, Se hallará en casa de Francisco Badía, el catalán en la plaza del Pilar, SD (fin XVIII]).
Sign. A, 2 hs.
— «Pues ya no puede ser».
PARIS, BN Yg 120-227, n.º 205.

211

ANONIMO

«Relación verdadera y curioso romance en que se da cuenta del caso raro que sucedió a un hombre que llevaba el demonio a cuestas en figura de persona. Descubriose en el convento de Santa Ana, el monte de la villa de Sevilla en el año 1690».
(Grab. Un hombre con el diablo y un cura que sale de una casa.) [Barcelona, Herederos de Jolis, calle de Algodoneros, SD 1690?, (fin XVIII)].
A 2 cols., sign. A, 2 hs.
— «Atención pide mi pluma».
PARIS, BN Yg 120-227, n.º 204.

212

Compuesta nuevamente por GONZALEZ DE LEZARIA, JUAN, natural de la villa de Viana

«Obra nueva muy gustosa para reyr y passar tiempo cuenta lo que aconteció a un soldado con un gato que le llevó

una libra de atún y a una moza otra libra de ternera
y las amenazas del soldado y la moza hazen al gato,
al modo de romance que dice mira Zaida que te aviso.
Y otro romance en respuesta que da el gato con villan-
cico al fin».
(Grab. Una mujer que hila. Un hombre vestido del siglo
XVII con una espada) [Barcelona, por Juan Jolis, ca-
lle de Algodoneros, SD (fin XVIII)].
A 2 cols., sign. A², 4 hs.
PARIS, BN 120-227, n.° 178A.

213

Ahora nuevamente puesto en prosa por el maestro
HERNANDEZ DE TORNON, JUAN

«Verdadera relación de cómo un rústico labrador (aunque en este negocio no lo mostró) con su buena astu-
cia y pronto consejo de su mujer engaño a dos mercaderes con muy sutil y gracioso estilo».
(Grab. No) [Barcelona, Herderos de Juan Jolis, calle Algodoneros, SD (fin XVIII)].
Sign. A², 4 hs.
PARIS, BN 120-227, n.° 177.

214

ANONIMO

«Seguidillas nuevas para canta los macebos pretendientes
a la puerta de sus damas».
(Grab. Hombre grotesco con una flauta, un hombre que
baila, ornamentos) [Barcelona, Herederos de J. Jolis,
calle de los Algodoneros, SD (fin XVIII)].
Sign. A, 4 hs.
PARIS, BN 120-227, n.° 152.

215

ANONIMO

«Curioso romance donde se da cuenta la horrible pendencia
que pelearon quatro valerosos soldados en la ciudad
de Barcelona por el agravio hecho a una dama. El uno
se llama Alfonso Telléz, el otro Diego Contreras, el
Otro Cayetano y el otro Pedro Cárdenas».
(Grab. Cuatro hombres que se baten a duelo) [Barcelona,
en la imprenta de herederos de Juan Jolís en la calle
de los Algodoneros, SD (fin XVIII)].
A 2 cols., sign. A, 2 hs.
— «Atención noble Antonio».
PARIS, BN Yg 120-227, n.° 140.

216

ANONIMO

«Romance de la baraxa, que ordenó un soldado llamado
Ricart, en la ciudad de Bres, el cual se hallará que con-
templaba él, estando en misa por medo de las figuras
que había en ella».
(Grab. No) [s.1., s.lib.ed., SD (fin XVIII)].
A 2 cols., sign. A, 2 hs.
— «Emperatriz de los cielos».
PARIS, BN Yg 120-227, n.° 139.

217

ANONIMO

«Romance de la bella Celia que adora y su respuesta y ahora se ha añadido una letrilla que dice fuego de Dios
el bien querer».

(Grab. Eclesiástico que lee) [Barcelona, en la imprenta de los herederos de Juan Jolis, en la calle de los Algodoneros, SD (fin XVIII)].
A 2 cols., sign. A, 2 hs.
— «La bella Celia que adora».
PARIS, BN Yg 129-227 PIECES ESPAGNOLES; n.º 137. C'est un recueil de pliegos, la majoritée du XIX mais il y en a du XVIII.

218

ANONIMO

«El portugués y el francés, graciosa relación en que se declara que a un portugués remendón y a un francés aguador les jugaron una señorita y su marido sacandolos en un arca a la Plaza Mayor».
(Grab. Un arlequín con una banderola) (Barcelona, Herdero de Juan Jolís, en los Algodoneros, SD).
A 2 cols., sign. A, 2 hs.
— «Preten atención un rato».
PARIS, BN Yg 120-227, n.º 216.

219

ANONIMO

«Nuevo y lastimoso romance. Reducido a manifestar la infausta tragédia de Francisca Bergara y de su marido Benito Granda, el cual estando ausente de España, un sobrino del cura le mando una fe de muerto falsa. Como había fallecido su mujer por lo que creyó que viudo estaba, estudió y cantó misa, metiendose a religioso capuchino y en cuya forma volvió a presencia de su mujer».

(Grab. Una misa, un cura, un hombre y una mujer) [Barbastro, se hallará en casa de Felipe Lafita, SD (fin XVIII)].
A 2 cols., sign. A, 2 hs.
— «Aquella divina estrella».
PARIS, BN Yg 267 bis.

220

ANONIMO

«Nuevo, curioso romance en que se declaran las virtudes del día a lo divino».
(Grab. Un sol) [s.1., s.lib.ed., SD (fin XVIII)].
A 2 cols., sign. no, 2 hs.
— «Al sacro autor soberano».
PARIS, BN Yg 887.

221

ANONIMO

«Nuevo y curioso romance en donde se da cuenta y declara, el caso que aconteció a Don Antonio Barceló saliendo con su Armada del puerto de Cartagena, llevando en su Compañía a Don Vicente Ferrer y Don Diego de Frias y el milagro que obró la Virgen de Guaytoca, con todo lo demás que verá el curioso lector».
(Grab. En la página del título en el centro un escudo Real con el Toison de Oro de cada lado una calavera) [s.1., s.lib.ed., SD (1790)].
A 2 cols., sign. A, 4 hs.
Primera parte: — «Suenan entre acentos suaves».
Segunda parte: — «Ya te dije en la primera parte».
PARIS, BN Yg 1058.

FAMOSO ROMANCE, EN QUE SE DECLA-
ra un maravilloso caso, que ha sucedido à dos
Amantes, naturales de la Ciudad de Almería, los
quales habiendose dado palabra de casamiento, salieron la mañana de San Juan à divertirse à la
Marina, donde la Dama fué cautiva por un
Corsario Turco, y como él mismo
le dió libertad.

JESUS, Maria, y Joseph,
  de cuyo favor, y auxilio,
    para mas seguro acierto,
he de valerme, aunque indigno,
para dar claras noticias
de un caso que ha sucedido,
tan singular, y estupendo,
que admira solo el oírlo.
En una Noble Ciudad,
cuyo nombre, y apellido
es Almería la Noble,
que ilustra el Sol con sus gyros,
cuyos hijos, y sus hechos,

siendo en todo peregrinos,
con justa razon merecen
estár en marmol escritos.
Sus Damas son muy discretas,
y de garbo tan pulido,
que con su gracia suspenden
à Diana, y à Cupido.
En la Celebrada noche
de San Juan, Primo de Christo,
el que fué santificado
antes que fuese nacido,
y en el vientre de Isabel
adoró al Verbo Divino,

y

«Famoso romance». Pliego n.º 222 del Catálogo.

222

ANONIMO

«Famoso romance, en que se declara un maravilloso caso
que ha sucedido a dos amantes, naturales de la ciudad
de Almeria, los cuales haviendose dado palabra de casamiento, salieron la mañana de San Juan a divertirse
a la marina, donde la dama fue cautiva por un corsario turco y como el mismo le dio la libertad».
(Grab. 2 turcos con armas que encuadran a una mujer que
llora debajo del árbol) (s.l., por Juan Serrá y Cente-
né, impresor y librero, bajada de la Canonja, SD).
A 2 cols., sign. A, 4 hs.
— «Jesús María y Joseph».
PARIS, BN Yg 1025.

223

ANONIMO

«Nuevo romance en que se declara el maravilloso suceso
que obro el Angel de la Guarda y Santa Barbara, con
un jovende la ciudad de Salamanca, que ofreció su alma al diablo por lograr una dama principal de aquella
ciudad y su arrepentimiento, después de haverse visto
en las infernales garras».
(Grab. Santa Barbara, encuadrada, ornamentos tipográficos) (Valencia y Alcó, Manuel López, José Martí del
mercado en el Vall, SD).
A 2 cols., sign. A², 4 hs.
— «A vos Barbara Divina».
PARIS, BN Yg 1222.

villosa cruz de color rojo con tres clavos, se vió llover
gotas de sangre, con lo demás que vera el curioso lector.»
(Grab. Descripción perfecta de lo que se relata, todos los
elementos están representados. Al final una copa con
flores) (Barcelona, por Joseph Aités impresor y librero, 1745?).
A 2 cols., sign. A, 2 hs.
— «Dios te salve paloma hermosa».
PARIS, BN Yg 120-227, núm. 224.

195

ANONIMO

«Armonica lid, circo delicioso y jóven triunfante vistosas
corridas de toros que en ocho tardes con las de los días
de Carnestolendas se tuvieron en el sitio nombrado el
Hacho a esmero e influyo del Señor D. Pedro Bravo
de Castilla del Consejo de Su Majestad en el Supremo
de las Indias Oidor de esta Real Audiencia de Lima y
protector del Hospital de San Lázaro cuyo reedificio
promueve su activo celo con las limosnas exitadas en
este recreo que en treinta y siete octavas describe y ofre
ce a su inclita piedad un apasionado.»
(Grab. Dos cuervos que beben en una fuente, bonito, letra ornada, encuadrado) (s.l., s.lib.ed., SD).
Sign. A²B, 6 hs.
PARIS, BN Z Res 1732.

196

Título. NO

«(Grab. No) (s.l., s.lib.ed., SD).
Sign. A, 1 hs.
PARIS, BN Res Z 1733.

224

ANONIMO

«Nueva relación y curioso romance en que se da cuenta
de las alevosas muertes que ejecuto una mujer natural
de Lisboa con sus padres, dos hermanas suyas y una
criada y el ejemplar castigo que se ejecuto en ella, primera parte».
(Grab. Mujer que mata a un hombre, dos mujeres en tierra) (s.1., s.lib.ed., SD).
A 2 cols., sign. A, 2 hs.
— «Ea corazones nobles».
PARIS, BN Yg 671.

225

ANONIMO

«Curiosa relación en que se declara la fatal desgracia y
perdida de tres formas consagradas, llevando el viati-
co a un enfermo desde Alboraya a Almenar, lugares
de las cercanias de la cuidad de Valencia, primera parte».
(Grab. 2 angeles que encuadran una custodia) (s.1.,
s.lib.ed., s.a.).
A 2 cols., sign. A, 2 hs.
— «El divino sol brillante».
PARIS, BN Yg 1241.

226

CARDENAS, PEDRO DE

«Nueva relación, que refiere el desafio que tuvieron en Barcelona cuatro soldados de las galeras de España».

(Grab. Duelo entre cuatro hombres) [s.1., s.lib.ed., SD (fin XVIII)].
A 2 cols., sign. A, 2 hs.
— «Atención noble Antonio».
PARIS, BN Yg 726.

227

DON ALONSO Y JUAN DE GRACIA

«Verdadera relación en que se refiere el maravilloso milagro que obró nuestra señora del Rosario con dos devotos suyos que por no haber querido renegar en Argel, fueron cruelmente castigados por los piratas. Declarase, como por defender la pureza de María Santísima los metieron en una mazmorra con agua hasta el cuello y como los trasladó la Virgen a su tierra con lo demás que verá el curioso lector».
(Grab. Un hombre que pide piedad al gran turco delante de una mujer) (Pamplona, por Francisco Echevarria, s.a.).
A 2 cols., sign. A, 2 hs.
— «Oigame todo curioso».
PARIS, BN Yg 661.

228

ANONIMO

«Nuevo y curioso romance en que se declaran las atrocidades que cometió un pulgón en la ciudad de Constantinopla y sus inmediaciones con los demás que se expresa».
(Grab. Un pulgón monstruo y turcos) (s.1., s.lib.ed., s.a.).
A 2 cols., sign. A, 2 hs.
— «Con el favor de Jesus».
PARIS, BN Yg 1327.

Num. 18

VERDADERA RELACION, EN QUE SE REFIERE EL MARAVILLOSO
milagro que obró nuestra Señora del Rosario con dos devotos suyos , que por
no haber querido renegar en Argel , fueron cruelmente castigados de los
piratas. Declárase , como por defender la pureza de María Santísima,
los metieron en una mazmorra, con agua á la rodilla : y como los tras-
ladó la Virgen á su tierra, con lo demas que verá el curioso lector.

DON ALONSO Y JUAN DE GRACIA.

Oigáme todo curioso,
mientras mi lengua declara
el caso mas peregrino
y el suceso de mas fama:
atencion otra vez pido,
sin que les divierta nada,
contaré un raro prodigio,
y una maravilla rara.
En la gran ciudad de Roma,
por todo el mundo nombrada,
vivia Don Pedro el Rico
con su esposa muy amada:
dióles el Cielo dos hijos,
y los puso á que estudiaran
las sacras divinas letras
de la Escritura Sagrada.

Estudiaron ocho años
Don Alonso y Juan de Gracia;
y no sé por qué motivo
cierto dia de mañana,
dijo Don Alonso, hermano,
vámonos á sentar plaza,
y verémos por el mundo
todas las cosas que pasan.
Entrambos se convinieron;
tomaron capas y espadas,
se embarcan para Sicilia;
y sus padres con mil ansias
para buscar á sus hijos
hacen diligencias varias,
como sin causa se fueron,
y la madre lastimada

661

«Verdadera relación». Pliego n.º 227 del Catálogo.

229

ANONIMO

«Coplas nuevas de seguidillas boleras, de todo cuanto ha pasado en Francia y esta pasando hasta el presente, compuestas por un soldado miliciano que se halla en la guerra con lo demás que verá el curioso lector».

(Grab. No) [Barcelona, en la imprenta de la Marina (época de Carlos IV)].

A 2 cols., sign. A, 2 hs.

Primera parte: —«Virgen de las Angustias».

Segunda parte: —«La Virgen angustiada».

PARIS, BN Yg 1470.

230

ANONIMO

«Coplas arregladas a la tirania y sacadas por la leva presente».

(Grab. No) (Madrid, reimpreso en Valencia, s.lib.ed., fin XVIII).

Sign. A, 2 hs.

Primera parte: —«Ahora que estoy despacio».

PARIS, BN Yg 814.

231

MORETO, AGUSTIN

«El defensor de la fe, comedia famosa».

(Grab. No) (s.1., s.lib.ed., fin XVIII).

Sign. ABCDE, 20 hs.

— «Jornada primera, mueran Soliman y Areu».

PARIS, BN Yg 1456.

> «Fait partie d'un faux receuil de pieces volantes de théatre ayant apartenu am. Jacques Ribart, rue Morant. 1 Juin 1779 a Rouen».

232

MORETO, AGUSTIN

«El licenciado vidriera, comedia famosa».
(Grab. No) (s.1., s.lib.ed., fin XVIII).
A 2 cols., sign. ABCDE, 20 hs.
PARIS, BN Yg 1457.
    Faux receuil de Jacques Ribart.

232

PEREZ DE MONTALVAN, D. IVAN

«El Mariscal de Virón, comedia famosa».
(Grab. No) (s.1., s.lib.ed., fin XVIII).
A 2 cols., sign. ABCD, 16 hs.
— «Con mayor razón me altera».
PARIS, BN Yg 1458.

234

PEREZ DE MONTALVAN, D. IVAN

«El zeloso extremeño, comedia famosa».
(Grab. No) (s.1., s.lib.ed., fin XVIII).
A 2 cols., sign. ABCD, 16 hs.
— «Vos seais muy bienvenido».
PARIS, BN Yg 1459.

235

CALDERON, PEDRO

«Comedia famosa, la vida es sueño».
(Grab. No) (s.1., s.lib.ed., fin XVIII).

A 2 cols., sign. ABCD, 16 hs.
— «Hiocrifo violento».
PARIS, BN Yg 1466.

236

CALDERON, PEDRO

«El conde Don Sancho, comedia famosa».
(Grab. Un hombre cortando madera y un carnero) (s.1.,
    s.lib.ed., fin XVIII).
A 2 cols., sign. ABCD, 16 hs.
— «Muerte quien ha publicado».
PARIS, BN Yg 1-65.

237

ANONIMO O CRUZ, RAMON DE LA

«— Manolo tragedia para reir o sainete para llorar.
— Manolo, segunda parte.
— La casa de los abates locos.
— La Paca la salada y la merienda de horterillas.
— Cada uno en su casa, no hay que fiar de vecinos.
— Perico el emperador o los ciegos imprimitas e embus-
    teros.
— El tramposo.
— No hay que fiar en amigos.
— El secreto de dos malo es de guardar.
— La burla del posadero y castigo de su estafa.
— El chico y la chica.
— El alcalde de la aldea.
— El amo y el criado en la casa de vinos generosos».
(Grab. Mismos angelotes para todos.) (En Alcalá. Se ha-
    llará este y otros de varios y diferentes títulos, come-

dias nuevas, tonadillas y tragedias en la imprenta de...
En la imprenta de Isidro López, calle de los libreros
y en Madrid y en su libreria, calle de la Cruz frente
a la naveria. (Sauf 2164, adresse: se hallará en la librería de Quiroga, calle de la Concepción Gerónima, mais
memes bois, Yg 2164: 1791, les autres: 1798-1799).
Sign. A, AB, AB, 4, 6, 8 hs.
PARIS, BN Yg 2130-2171 *Comedias españolas, siete sai-
netes.*

Indice de ilustraciones

Indice

*Esta edición ha sido posible
gracias a la colaboración del
MINISTERIO DE ASUNTOS EXTERIORES,
Dirección General de Relaciones Culturales.*

Este libro se acabo de imprimir
en los talleres gráficos de PRINTING BOOKS, S.A.
el día 10 de Diciembre de 1988.